CSI: NEW YORK: Hard bewijs

D0434175

Voor alle informatie over de CSI-boeken ga naar
www.karakteruitgevers.nl/csi

Stuart M. Kaminsky

CSI: NEW YORK: Hard bewijs

Gebaseerd op de populaire CBS-televisieserie *CSI: NY*, geproduceerd door CBS Productions, onderdeel van CBS Broadcasting Inc. en Alliance Atlantis Productions Inc. Executive Producers: Anthony E. Zuiker, Andrew Lipsitz, Danny Cannon, Jonathan Littman. Serie ontwikkeld door Anthony E. Zuiker, Ann Donahue, Carol Mendelsohn.

Karakter Uitgevers B.V.

Oorspronkelijke titel:
CSI: NEW YORK: Dead of Winter
© 2005 by CBS Broadcasting Inc. and Alliance Atlantis Productions, Inc.
All rights reserved.
This edition published by arrangement with the original publisher, Pocket
Books, New York, a division of Simon and Schuster, Inc.
Vertaling:
Yolande Ligterink
© 2005 Karakter Uitgevers B.V., Uithoorn
Omslag:
Björn Goud

'Alliance Atlantis' and the stylized A design are trademarks of Alliance
Atlantis Communications Inc.
CSI is a trademark of CBS Worldwide Inc. and Alliance Atlantis Produc-
tions, Inc.

ISBN 90 6112 394 1
NUR 332

Proloog

Het was een nacht om te dromen.

Het was begin februari, zonder uitzondering de koudste tijd van het jaar in New York. Laat je niets wijsmaken over de stormen van januari of de verrassingsbuien en ijskoude wind uit Canada die soms al begin november en soms eind maart nog optreden. Nee, je kunt erop rekenen dat februari de meest genadeloze maand van het jaar is. En dit keer was hij uitzonderlijk wraakzuchtig. De temperatuur zweefde rond de −17 °C. De wind speelde boos huilend door de spookachtig lege straten van de vijf districten van New York. De sneeuw viel gestaag en meedogenloos als zachte slib, nutteloos voor sneeuwpoppen of sneeuwballen als de zaterdagmorgen over een paar uur zou beginnen.

De sneeuwploegen ronkten onophoudelijk in konvooien en alleen voorbij in een poging paden open te houden. Het vuilnis was niet opgehaald. De ploegen schoven bergen sneeuw over de donkere plastic zakken en begroeven ze tot de dooi enigszins zou invallen, zodat de vuilniswagens door de honderden kilometers glibberige straten konden komen.

Vier uur in de morgen.

Mac Taylor ging in bed op zijn linkerzij liggen. Hij had een wekker, maar zette hem nooit aan. Hij werd zonder uitzondering omstreeks vier uur in de donkere ochtend wakker. Dan lag hij nog een uur met zijn handen achter zijn hoofd naar het plafond te kijken, waar de lichten van passerende auto's, de sterren en de maan trillend voorbijtrokken. Vannacht waren er geen auto's, geen sterren en er was ook geen maan in de sneeuwlucht. Hij keek op in het donker en slaagde er redelijk goed in niet na te denken, wetend dat hij over een uur op kon staan en hopend dat dat uur snel voorbij zou zijn.

Stella Bonasera had een koortsachtige droom. Ze was net weer in slaap gevallen nadat ze was opgestaan om twee Tylenols te nemen en een glas thee uit de magnetron. In haar droom zweefde het enorme, opgezwollen lichaam van een vrouw als een ballon boven een bed. Stella had het idee dat het haar taak was om te voorkomen dat het lichaam verdween door een open raam er vlakbij, maar ze kon zich niet verroeren. Ze hoopte maar dat het lichaam te groot was om door het raam te kunnen. Boven op het lichaam van de vrouw zat een kat, een grijze kat, plechtig naar Stella te kijken. Toen was de droom weg en sliep Stella vredig.

Aiden Burn was om een uur of twee in de nacht in slaap gevallen terwijl ze probeerde zich de naam van haar wiskundelerares van de tweede klas van de middelbare school te herinneren. Mevrouw Farley of Farrel of Furlong? Ze zag haar gezicht voor zich en herinnerde zich haar stem. In een droom of misschien slechts een dagdroom hoorde Aiden de stem van die lerares voor de vijfhonderdste keer tegen de klas zeggen dat het de kleine foutjes waren die je tot de verkeerde antwoorden brachten. 'Je ziet misschien het grote geheel, maar één kleine vergissing, één moment van onoplettendheid, en alles dat daarna volgt is voor altijd fout.' Van alle dingen die in elke klas van de middelbare school waren gezegd, herinnerde Aiden zich dit het sterkst. Ze had geprobeerd ernaar te leven, maar het achtervolgde haar nog steeds, vooral als de wind tegen de ramen sloeg en de sissende radiators het moesten afleggen tegen een diepe kilte.

Danny Messer pakte zijn bril en keek op de roodverlichte cijfers van de klok naast zijn bed. Het was een paar minuten na vieren. Hij streek over zijn gezicht. Hij zou zich moeten scheren als hij opstond. Dat deed hij onder de douche wel. Daar dacht hij later wel over na. Hij rolde op zijn linkerzij, op zoek naar een comfortabele positie, vond die meteen en verzonk in een droomloze slaap.

Sheldon Hawkes lag op een veldbed in zijn laboratorium een boek te lezen over een archeologische opgraving in Israël. Er stond een foto in van een schedel die daar gevonden was. Volgens de tekst, geschreven door iemand wiens naam hem niets zei, was de schedel ongeveer drieduizend jaar oud en was hij beschadigd bij een natuurramp. Hawkes schudde zijn hoofd. Het gat in de schedel was het gevolg van een klap met een stuk rots met ruwe randen. Het was de enige schade die de schedel vertoonde. Geen krassen, geen deuken. De schedel was bijna helemaal intact gebleven. Als het gat door de natuur was veroorzaakt, zouden er sporen zijn van minder ernstige verwondingen. Hawkes moest eigenlijk de oorspronkelijke schedel eens zien of een goed stel foto's. Maar hij twijfelde er niet aan dat de lang geleden gedode man was omgekomen door een klap met een stuk steen en omdat de kunstvoorwerpen die bij het lichaam waren ontdekt deden vermoeden dat de dode man van koninklijken bloede was, zou Hawkes wel eens willen weten wie hem vermoord zou kunnen hebben en waarom. Als hij het boek uit had, zou hij de archeoloog een e-mail sturen. Hawkes las verder. Hij had de vier uur slaap die hij nodig had al achter de rug. Hij lag vlak bij de lijken in de laden. De wind huilde wild door de straten. Hij had een goed boek. Hij was tevreden.

Don Flack had misschien wel gedroomd, maar hij herinnerde zich zijn dromen niet en dat was waarschijnlijk maar goed ook, want de rechercheur had veel gezien dat nachtmerries kon veroorzaken. Om zeven uur zou de wekker afgaan en dan zou hij meteen wakker zijn. Dat was al zo sinds hij een jongen was. Hij hoopte dat het de rest van zijn leven zo zou blijven.

De gebroeders Marco sliepen ieder aan een andere kant van de stad. Anthony, in de cel op Riker's Island, sliep met één oog open. De gevangenis was geen plek om op je gemak te gaan slapen. Gevangenissen waren 's nachts een walgelijke wanklank van droge hoest-buien, gesnurk, mensen die praatten in hun slaap en rondlopende wachtposten. Gevangenissen waren plekken waar je steeds half wakker moest blijven, zodat niets en niemand je kon overvallen. Niet dat Anthony dacht dat iemand hem te grazen zou willen nemen, maar je wist nooit wie je zonder dat je het wist beledigd of genegeerd kon hebben. Buiten betekende de naam Anthony Marco iets. Maar hier was hij niet meer dan een oude, blanke dwaas. Morgen zou hij weer voor de rechter staan. Als alles goed ging, zou de loop van de rechtszaak in zijn voordeel wijzigen. Hij rekende er niet echt op, maar hij had het gevoel dat het zou moeten gebeuren.

Anthony's broer Dario was wakker. Slapeloosheid. Het gesnurk van zijn vrouw. Zijn maagklachten. Hij stond op en ging naar de bad-kamer, waar hij de *Entertainment Weekly* ging zitten lezen. Hij was zenuwachtig. Vanavond zou het gebeuren, op dit moment ongeveer. Hij had vijf uur geleden gebeld om het plan te wijzigen. Zijn dochter had hem ervan overtuigd dat het de beste manier was, en omdat hij dat ook al had gedacht, had hij gebeld. Er konden dingen verkeerd gaan. Als je rekende op domme mensen, nam je een risico, ook al waren die domme mensen nog zo loyaal. Marco had een theorie. Alleen bij domme mensen kon je er echt op rekenen dat ze loyaal waren. Slimme mensen dachten te veel na, waren te veel met zichzelf bezig. Marco kon het weten. Hij was een van de slimme mensen. Ach, wat. Hij ging weer naar bed en gaf zijn vrouw een por in de hoop dat ze zich zou omdraaien en zou ophouden met dat gesnurk. Ze gromde en draaide, maar het snurken werd alleen maar luider. Hij legde een kussen over zijn hoofd en nam zich voor op te staan als hij niet binnen vier of vijf minuten in slaap viel.

Stevie Guista droomde van water, alleen water, een groot wateroppervlak. Hij wist dat het koud was en hij wilde er niet in, maar het zag er heel mooi uit en hij wilde ernaar blijven kijken. Toen kreeg hij een gevoel. Er naderde iets achter hem. Hij wilde zich omdraaien en kijken. Hij wilde zich niet omdraaien en kijken. Hij wilde zich in het water storten. Hij was bang om het water in te gaan. Hij stond verstijfd aan de oever van het meer of wat het ook was en wilde dat hij wakker zou worden.

Jacob Laudano zat verdomme weer op een paard. Hij wist dat hij droomde, maar hij kon niet wakker worden en het paard wilde niet stoppen of langzamer gaan lopen. Hij zat over zijn hals gebogen en hield zich vast, en de positie van de andere paarden om hem heen vertelde hem dat hij ging verliezen of erger nog, dat hij ging vallen. Hij was acht jaar jockey geweest en had elke dag van elk dieet en elk moment op die stomme beesten, die hij amper kon verdragen, gehaat. Hij hield niet van paarden. Paarden hielden niet van hem. Hij was een slechte jockey geweest. Hij was een gemiddeld succesvolle dief. Als hij wakker kon worden, kon hij een glas drinken halen, water of whisky of iets anders. Dan kon hij weer gaan slapen. Hij was nog geen uur geleden zijn appartement binnengekomen. Hij had gedaan wat hij moest doen. Het was gemakkelijk geweest. Hij had zijn geld gekregen. Waarom had hij dan verdomme zo'n slechte droom? Vooral deze droom, waarin hij op zo'n vervloekt paard zat en wist dat hij ging verliezen. Hij spande zich in, riep iets in zijn slaap, worstelde en stootte door tot een wakkere duisternis. Het gebrul van de menigte was het huilen van de wind. Het briesje langs zijn benen was de kou die naar binnen drong door de slecht geïsoleerde ramen. Het zweet op zijn voorhoofd werd niet veroorzaakt door de inspanning van de wedstrijd, maar door een gevoel van wakkere angst. Jacob de Jockey was bang om weer te gaan slapen.

Ze had drie namen, de naam die ze bij haar geboorte had gekregen, de naam die ze had aangenomen toen ze was getrouwd met de sukkel die op een nacht, toen zij lag te slapen, was weggeslopen, en de naam die ze gebruikte voor haar werk, haar professionele naam, haar respectabele naam.

Helen Grandfield was geboren op de leeftijd van dertig jaar, toen ze haar identiteit als stripdanseres die niet populair had weten te worden en wier bezoedelde reputatie haar vader niet kwaad had weten te maken achter zich had gelaten. De oude man had haar eenvoudigweg genegeerd. Zolang ze de familienaam niet gebruikte, kon het hem niet schelen. Hij had andere kinderen die niet probeerden hem gek te maken en hij had te veel aan zijn hoofd, zoals in leven en uit de handen van de politie blijven, om zich zorgen te maken over die ene dochter. Maar toen was ze veranderd. Zomaar. Plotseling. Ze had boekhouden geleerd en had daarna zakencursussen gevolgd op Fordham. Nu had ze een praktisch nut voor haar vader en werd niet alleen gewaardeerd, maar ook gehoord. Ze was tevreden. Ze sliep goed. Er stonden vannacht dingen te gebeuren. Belangrijke dingen. Dingen die veel konden betekenen voor haar vader en haarzelf. Diep vanbinnen dacht ze er zelfs over haar sukkel van een echtgenoot te laten opsporen en hem de keel te laten afsnijden als alles zo goed ging als gepland – zo mogelijk terwijl zij toekeek. Helen Grandfield sliep vredig.

Ed Taxx en Cliff Collier hadden niet geslapen. Ze hadden niet geprobeerd te slapen. Ze werden niet geacht te slapen. Ze zaten in de hotelkamer, Ed met een spannend boek van Jonathan Kellerman, Cliff voor de buis met videoband van een uren eerder gespeelde ijshockeywedstrijd. Hij had met opzet niet naar het nieuws of de sportberichten gekeken zodat hij niet wist hoe de wedstrijd was afgelopen. Op het moment stonden de Rangers aan het begin van de derde periode met 3-1 voor. Cliff dronk een cola light, Ed een Dr. Pepper. Geen van de mannen was echt moe. Te veel aan hun hoofd. Maar een dosis cafeïne die niet afkomstig was van koffie of Mountain Dew kon geen kwaad. Taxx keek op zijn horloge. Nog een uur of twee tot het licht werd. Hij had moeite zich te concentreren op zijn boek. Cliff had aangeboden de wedstrijd zonder geluid te bekijken, maar Ed had gezegd dat hij het niet erg vond. Hij hield niet van ijshockey, maar hij wist dat hij het commentaar kon buitensluiten. Ed trok zijn schouderholster goed en ging liggen met het boek op zijn borst.

Het meisje heette Lilly. Ze was elf, een beetje klein voor haar leeftijd, maar niet veel. Ze was ergens wakker van geworden. Ze keek van haar bed naar haar moeder, die ademde zoals ze altijd deed als ze sliep. Lilly was er redelijk zeker van dat ze door de wind wakker was geworden.

Ze stapte uit bed en ging naar de woonkamer, waar ze de lamp op de tafel in de hoek aandeed. Daar stond hij, de hond. Hij zag er niet slecht uit, die hond, maar hij was ook niet mooi. Ze vroeg zich af of ze hem bruin en goud had moeten schilderen in plaats van zwart en wit. Het was nog niet te laat. Maar ze wist dat ze het niet zou doen. Ze was moe. Straks deed ze iets verkeerd en maakte ze het nog erger. Hij zou zwart en wit moeten blijven. Ze hoopte dat hij hem mooi zou vinden, ook al wiebelde hij als hij stond. Ze had een van de achterpoten te kort gemaakt. Lilly haalde een glas van de plank in de keuken en de chocolademelk uit de koelkast. Ze zat met een glas melk en een chocoladekoekje naar de hond te kijken. Ze besloot hem Spark te noemen. Of misschien iets anders.

Lilly at haar koekje en dronk haar melk op, zette het lege glas voor zich op tafel en leunde achterover. Ze zag de sneeuw tegen het raam dwarrelen, niet om binnen te komen, maar gewoon lui. Lilly viel in slaap.

1

De dode man zat ineengedoken tegen de achterwand van de kleine, met hout betimmerde lift. Zijn hoofd rustte op zijn linkerschouder, zijn handen waren tegen zijn borst gevouwen. Net boven zijn rechterhand zat een bloedvlek. Zijn linkerbeen lag gestrekt tot buiten de lift.

De voet met de pantoffel was het eerste dat rechercheur Mac Taylor zag toen hij snel door de met marmer betegelde hal liep van het flatgebouw op York Avenue, vlak bij 72nd Street.

Mac schoof langs twee geüniformeerde agenten en bleef voor de open liftdeur staan, naast Aiden Burn, die met klikkende camera het lijk en de lift fotografeerde. De dode droeg een grijs joggingpak met twee gaten in de borst, die toegang gaven tot een bloederige duisternis.

'Sneeuwt het nog?' vroeg Burn toen Mac op zijn horloge keek. Het was een paar minuten na tienen. Hij trok een paar witte latex handschoenen aan.

'Er wordt nog bijna acht centimeter verwacht,' zei Taylor terwijl hij naast het lijk knielde. Er was net genoeg ruimte in de kleine lift voor de twee CSI'ers en het lijk.

'Wie is het?' vroeg hij.

'De naam is Charles Lutnikov,' zei Burn. 'Flat zes, derde verdieping.'

Lutnikov was een jaar of vijftig en hij had dunner wordend grijs haar en een buikje.

'Geen zakken in het joggingpak,' zei Mac, die het lijk voorzichtig iets naar rechts en toen naar links rolde. 'Wie heeft hem geïdentificeerd?'

'De portier,' zei Burn, die omkeek naar een agent die duidelijk haar achterste stond te bewonderen.

'Ben jij getrouwd?' vroeg Burn aan de agent, met de camera in een van haar in latex gestoken handen.

'Ik?' zei de agent, die glimlachend naar zichzelf wees.
'Jij, ja,' zei ze.
'Jawel.'
'Er is hier iemand dood,' zei ze. 'Waarschijnlijk vermoord. Kijk naar hem, denk aan hem en niet aan mijn kont. Kun je dat?'
'Ja,' zei de agent, die niet langer glimlachte.
'Mooi. Die koffer daar naast de deur. Zet die waar ik erbij kan.'
'Slecht geslapen?' vroeg Mac.
'Ik heb betere nachten gehad,' zei Aiden, die foto's bleef maken terwijl de agent haar koffer met spullen verzette.
Macs blik was gericht op de borst van de dode man. 'Twee kogelgaten, zo te zien. Geen kruitsporen.'
Mac keek naar de wanden, de vloer en het plafond van de kleine, met hout betimmerde lift en boog zich toen voorover om het lijk voorzichtig naar voren te trekken.
'Geen wonden van uittredende kogels,' zei hij, terwijl hij het lijk weer teruglegde.
'Dan zitten ze er nog in,' zei Burn.
'Nee,' antwoordde Mac en hij haalde een leren etuitje uit zijn zak, waaruit een dunne, stalen sonde kwam, die eruitzag als iets om je tanden mee schoon te maken.
Hij tilde voorzichtig de trui van de dode op om de wonden beter te bekijken.
'Eén schot,' zei hij. Hij raakte elk gat aan met de sonde en praatte net zozeer in zichzelf als tegen Aiden. 'Hier is de kogel naar binnen gegaan. Klein kaliber. De wond is bijna dicht. Maar uit dit gat is de kogel uitgetreden. Het is groter en ruwer en de huid is naar buiten toe gerafeld.'
'Dan moeten er bloedspetters voor het lijk liggen,' zei ze.
'En daar zijn ze,' zei Mac, die neerkeek op donkere, traanvormige vlekken op de vloer.
Hij stond op, stopte de sonde weg, trok zijn latex handschoenen uit, liet ze in een zakje in zijn jaszak glijden en trok een schoon paar aan.
Als er bloed aanwezig was, trok je elke keer dat je iets had aangeraakt schone handschoenen aan. Geen verontreiniging. Dat wist

iedere criminoloog in de wereld. Maar de fouten in de zaak O.J. Simpson waren nodig geweest om er hun evangelie van te maken.

'Geen wapen?' vroeg hij.

'Geen wapen,' antwoordde Aiden. 'Geen kogel.'

'Lichaamstemperatuur?'

'Hij is nog geen twee uur dood, waarschijnlijk minder dan een uur. Toen de portier het lichaam had gevonden, heeft hij meteen het alarmnummer gebeld.'

Mac keek nog eens naar de dode man en zei: 'Fotografeer zijn enkels. Er zit een blauwe plek op deze.' Mac wees naar het been dat buiten de lift lag. 'En dan...'

'Onderzoeken we de wanden, de vloer, het joggingpak?' vroeg Aiden.

Mac knikte en voegde eraan toe: 'Volledige behandeling.'

Bij de volledige behandeling hoorde ook een onderzoek met een ALS (Alternate Light Source), een lamp die alle lichaamsvloeistoffen als sperma, speeksel en urine deed oplichten, evenals vingerafdrukken. Je kon er zelfs drugs mee opsporen. Aiden had een eigen, compacte ALS die in een houder paste die niet groter was dan een loep. Hij kon worden aangesloten op elk stopcontact en ze gebruikte hem om te kijken of de hotel- of motelkamer waarin ze op reis logeerde wel schoon was.

Mac stapte de lift uit en liep langs de twee agenten naar een man met een paars portiersuniform met gouden beleg, die over de schouders van de agenten meekeek. De man was klein en zwart en heel nerveus. Hij had geen idee wat hij met zijn handen moest doen, dus wrong hij ze, stopte ze in zijn zakken en haalde ze er weer uit toen Mac voor hem kwam staan.

'Hij is dood,' zei de man. 'Dat weet ik. Ik kon het zien.'

'Hoe laat begon uw dienst, meneer...'

'McGee. Aaron McGee. Iedereen noemt me meneer Aaron. Ik bedoel de huurders. Ik weet niet waarom.'

'Hoe laat begon uw dienst, meneer McGee?'

'Om vijf uur in de morgen.' Hij keek op zijn horloge. 'Vijf uur geleden. Vijf uur en tien minuten. Ik had twee uur nodig om hier te komen met al die sneeuw.'

Mac had zijn aantekenboekje gepakt en schreef alles zorgvuldig op.
'Wie had er vóór u dienst?'
'Ernesto, Ernesto... Even denken. Ik weet het wel. Hij is hier al vijf, zes jaar. Ik weet zijn achternaam. Maar ik ben gewoon... Begrijpt u?'
Mac knikte.
'Hebt u een register?' vroeg Mac.
McGee knikte. 'Daar schrijf ik de naam van elke bezoeker in. Ik meld het altijd even bij de huurder voordat ik iemand binnen laat. Huurders schrijf ik zelf in en dan zeg ik "goedemorgen" of "goedenavond" of zoiets. Vorige maand met de feestdagen zei ik "gelukkig kerstfeest" tegen degenen van wie ik weet dat ze christenen zijn, zoals ik, en "gelukkige chanoeka" tegen de joden. Tegen de Melvoys zeg ik niets. Dat zijn atheïsten, maar ze hebben me toch iets gegeven met Kerstmis.'
'Zijn er vanmorgen nog bezoekers geweest voor meneer Lutnikov?'
'Geen een,' zei de portier met een nadrukkelijk hoofdschudden. 'Niet voor hem. Voor niemand in het gebouw. Er zouden vanmorgen wel mensen komen om de computer van Rabinowitz te repareren.'
'En zijn er vanmorgen al huurders vertrokken?'
'De Shelby's van nummer tien,' zei de portier, die gebaarde dat Mac hem moest volgen naar de voordeur van de Belvedere Towers. 'Ze zijn een paar minuten met de hond gaan lopen en toen kwamen ze alweer terug. Veel te koud buiten voor dat beestje, maar hij had wel zijn behoefte gedaan. Mevrouw Shelby had een van die doorzichtige hondenpoepzakjes in haar hand, begrijpt u. Ze kwamen al heel snel weer terug.'
Mac knikte.
'En juffrouw Cormier,' ging McGee verder. 'Die gaat elke morgen naar buiten, of het nu regent of sneeuwt of dat de zon schijnt. Dan gaat ze wandelen. Om acht uur 's morgens. Ze zegt altijd "hallo, Aaron". En dan blijft ze ongeveer een halfuur weg, zelfs vandaag.'
'Had ze iets bij zich?' vroeg Mac.
'Hetzelfde als altijd,' zei McGee. 'Een van die grote tassen van een boekwinkel, die met de foto van een of andere vent met een baard

erop. Hoe heet die boekwinkel ook alweer?'
'Barnes and Noble?' vroeg Mac.
'Precies,' zei McGee. 'Elke dag dezelfde tas.'
McGee had een slingerend schuifelloopje. Hij was op zijn minst zeventig en waarschijnlijk nog ouder.
'Soms gaan de Glicks op zaterdag vroeg weg,' zei hij. 'Die zitten in twee, maar hij krijgt chemotherapie, dus blijven ze de laatste tijd vaak binnen op zaterdag.'

Ze bleven staan voor het hokje van de portier, rechts van de voordeur. Iets van de vrieskou van begin februari sijpelde door de kieren van de deur. Het was uren geleden al opgehouden met sneeuwen, maar er was minstens een halve meter gevallen, de temperatuur daalde nog steeds en er werd nog meer sneeuw verwacht. Mac was er zeker van dat het bijna −17 °C was.

Zijn auto stond een blok verderop op een laadplek voor een delicatessenzaak, met de zonneklep naar beneden om zijn insigne van de technische recherche te laten zien. De wandeling van de auto naar het flatgebouw had ongeveer vijf minuten gekost. Normaal zou hij er niet langer dan een minuut of twee over hebben gedaan. Het deed Mac denken aan die wilde sneeuwstorm, een jaar of zes geleden in Chicago. Na die storm moest iedereen kleine, oneffen heuvels sneeuw beklimmen alsof het glibberige bergen waren. Mac en zijn vrouw woonden in een wijk waarvan de wijkbeheerder geen lid was van de Democratische Partij, wat betekende dat ze de laatste waren waar de sneeuwploeg kwam. Het kon dagen duren voordat ze hun auto uit de garage konden krijgen. Maar ze hadden van die kleine ramp een nachtelijke uitdaging gemaakt en waren klimmend, glijdend, glibberend en vallend vier straten verder gelopen naar de eerste grote straat die wel was schoongeveegd, waar ze een buurtsupermarktje hadden gevonden dat open was.

Toen Mac op de terugweg op een van de heuvels was uitgegleden en met zijn achterste in de sneeuw was verdwenen, had Claire gelachen. De boodschappen hadden om hem heen hun eigen kuilen in de sneeuw gemaakt, verlicht door de wazige straatlantaarns.

Mac had er niet om kunnen lachen. Hij had met een overdreven frons opgekeken, maar die was al snel overgegaan in een lach. Claire had tot haar enkels in de sneeuw gestaan met rode oren, haar blauwe muts ver over haar voorhoofd getrokken en boodschappentassen aan haar handen in de rode, gebreide handschoenen. Ze had gelachen. Hij zag het allemaal voor zich, de donkere straat, de witte sneeuw, de zwakke straatlantaarns en haar lachende gezicht.

'Eens kijken,' zei McGee. 'Het is zaterdag, dus de mensen die werken bedenken zich wel drie keer voordat ze in dit weer naar buiten gaan, en het is nog vroeg, dus...'

Hij keek in het boek.

'Niets,' zei hij. 'Niemand anders erin. Niemand anders eruit.'

'Wanneer heeft Ernesto weer dienst?' vroeg Mac, die zich weer tot het heden richtte.

'Van middernacht tot ik weer kom om vijf uur.'

McGee tuurde nog eens naar het boek.

'Geen notities in Ernesto's dienst. Geen enkele. Niemand erin. Niemand eruit.'

Er stopte een ambulance voor de deur, zonder sirene. Twee broeders in het wit onder blauwe jasjes stapten uit, deden de achterdeur open en trokken een brancard en een lijkenzak uit de wagen.

De portier zweeg en keek naar ze toen ze binnenkwamen. 'Ik heb de namen van jullie van de politie niet gehoord,' zei hij. 'Misschien moet ik...'

'Het is al goed,' zei Mac. 'Vertel eens wat over meneer Lutnikov.'

'Sorry dat we zo laat zijn, Taylor,' zei de eerste broeder die binnenkwam, een bodybuilder met een babyface. 'Het weer.'

Mac knikte en zei: 'Breng hem zo snel mogelijk naar het lab, maar wees wel voorzichtig daarbuiten.'

'Doen we,' zei de bodybuilder, die met zijn partner langs Mac en de portier liep.

'Waar waren we?' vroeg McGee met één oog op de ziekenbroeders, die nog meer sneeuw de hal in sjouwden.

'Meneer Lutnikov,' herinnerde Mac hem.

'Hij was erg op zichzelf,' zei McGee. 'Maar altijd beleefd. Gaf me met Kerstmis zonder mankeren een biljet van vijftig dollar, altijd gloednieuw.'

'Had hij veel geld?' vroeg Mac.

'Dat weet ik niet,' zei McGee met een glimlach. 'Dat is ongeveer het gemiddelde voor Kerstmis. Iedereen in het gebouw geeft me geld voor de feestdagen. Wilt u weten hoeveel ik de afgelopen keer gekregen heb? Drieduizend vierhonderdenvijftig dollar. Ik heb het meteen op de bank gezet.'

Er ontstond enige beroering bij de liften. Mac keek even. Het been van de dode man lag nog steeds half in de hal.

'U hebt het lichaam gevonden,' zei Mac.

'Nou en of,' zei McGee, die naar de lift wees. 'Ik hoorde de lift stoppen en keek wie eruit zou komen. Niemand. Het belletje bleef alleen gaan, dus ging ik kijken. En weet je wat ik zag?'

'Een been dat eruit stak en de deur die ertegenaan sloeg,' zei Mac.

'Precies. Precies. Het is een automatische deur. Als er iets tussen zit, blijft hij er gewoon tegenaan slaan en blijft het belletje rinkelen.'

Dat verklaarde de blauwe plekken op de enkel van de dode. Het wees er bovendien op dat het been tegen de liftdeur had gelegen en eruit was gevallen toen de deur openging.

'Komt die lift automatisch naar beneden?'

'Nee, meneer. Je moet op de knop drukken, anders blijft hij staan waar hij het laatst gestopt is.'

'Zijn de twee andere liften net zo klein als die waarin het lijk ligt?'

'Nee, meneer,' herhaalde de portier. 'Die zijn veel groter. Lift drie is klein omdat hij alleen van de vijftiende verdieping naar het penthouse gaat en dan weer terug hiernaartoe.'

De portier keek om toen een windvlaag de ruiten van de voordeur deed rinkelen. 'Het ziet er akelig uit daarbuiten. Ik hoor dat het ook koud is. –17 °C.'

'Meneer Lutnikov woonde op de derde verdieping,' zei Mac. 'Hebt u enig idee waarom hij in een lift stond die niet op zijn verdieping stopte?'

McGee schudde zijn hoofd. 'Vanaf de vijftiende verdieping zijn er alleen appartementen die de hele verdieping beslaan. Vier, vijf slaapkamers, balkons. Juffrouw Louisa Cormier in het penthouse heeft haar eigen filmzaal met van die echte pluchen stoelen en een heel groot scherm. De mensen daarboven hebben poen.'

'Als Lutnikov lift drie wilde nemen…' spoorde Mac aan.

'Dan moest hij eerst naar de hal komen en dan lift drie weer naar boven nemen,' zei de portier.

'Kent meneer Lutnikov iemand op de vijftiende verdieping of hoger?' vroeg Mac.

McGee haalde zijn benige schouders op.

'Ik zou het niet weten,' zei hij. 'De mensen zijn hier vriendelijk, maar ze lopen de deur niet bij elkaar plat. In de hal zeggen ze elkaar gedag en glimlachen beleefd, maar...'

De ziekenbroeders kwamen de hal door met een brancard met een dichtgeritste lijkenzak erop, waarin de dode man zich bevond. Mac zag dat Aiden Burn de liftdeur afzette met tape.

'Laat mij die deur voor jullie openhouden,' zei McGee, die haastig voor de broeders uitliep en de deur openduwde, waardoor er een vlaag sneeuw en ijskoude lucht over Macs schouderbladen ging.

Aiden kwam bij Mac staan. Ze deed haar handschoenen uit en liet ze in haar zak vallen. De kou van de aanvallende storm deed zich voelen. Ze ritste haar blauwe jasje dicht, hetzelfde jasje dat Mac aanhad, met de woorden TECHNISCHE RECHERCHE in witte letters op de rug.

'Hij ging niet hardlopen op zijn pantoffels,' zei Mac, die toekeek hoe het lichaam in de ambulance werd geladen.

'Waar ging hij naartoe?' vroeg Aiden.

'Of waar kwam hij vandaan?' antwoordde Mac.

'Ergens tussen de vijftiende en de tweeëntwintigste verdieping, waar het penthouse is,' zei ze. 'Aan de knoppen is te zien dat de lift niet tussen de eerste en de veertiende verdieping stopt, maar wel in de hal en de kelder. Er zit een knop voor de kelder in de lift. Geen garage.'

'Neem jij de kelder maar. Dan begin ik op de vijftiende.'

'Degene die ons slachtoffer heeft doodgeschoten, stond buiten de lift,' zei Aiden. 'Geen kruitsporen op zijn trui. De lift is te klein om er een kogel te kunnen afvuren zonder kruitresten achter te laten.'

Mac knikte.

'En,' voegde ze eraan toe, 'hij of zij was een goed schutter. De kogel is precies op één lijn met zijn hart ingeslagen.'

'Kan ik lift drie weer aanzetten?' vroeg de portier.

'Nee,' zei Mac. 'Het is een plaats delict. Is er een trap?'

McGee knikte en zei: 'Dat is wettelijk verplicht.'

'De huurders zullen de trap moeten nemen naar de vijftiende verdieping en daar een van de liften moeten pakken of verder lopen,' zei Mac.

'Dat zullen ze niet leuk vinden,' zei McGee hoofdschuddend. 'Helemaal niet. Kan ik ze bellen om het door te geven?'

'Nadat je me de namen hebt gegeven van alle huurders vanaf de vijftiende verdieping,' zei Mac.

'Ik zal ze voor u opschrijven,' zei McGee. Hij pakte een vulpotlood uit het donkerbruine bureau en drukte de knop in.

2

Ed Taxx zette de thermostaat in kamer 614 van het Brevard Hotel hoger. Volgens de thermometer was het 18 °C, maar het Brevard was oud, het verwarmingssysteem onbetrouwbaar en buiten heerste een ijzige vrieskou.

Taxx was al vijfentwintig jaar werkzaam bij de afdeling beveiliging van het Openbaar Ministerie. Nog een jaar en dan ging zijn dochter studeren in Boston. En dan, had Ed tegen zijn vrouw gezegd, vertrokken ze naar Florida en konden ze schijt hebben aan de winters in New York.

Ed was opgegroeid op Long Island en had zich altijd verheugd op de wintersneeuw, de sneeuwbalgevechten, sleetje rijden op Maryknoll Hill en de macho uithangen zoals de andere jongens, die met ijskoude vingers en oren ijshockey speelden in Stanton Park. Toen hij veertig was, keek hij niet langer uit naar de winter, de startproblemen met de auto, de sneeuw die hem dwong uren in de wagen te zitten met de verwarming op de hoogste stand en de noodzaak om voortdurend bedacht te zijn op glijpartijen. Het ergste waren nog de lange, grijze, deprimerende dagen. Hij zou de stad niet missen als hij met pensioen ging.

Hij keek naar Cliff Collier, die het helemaal niet koud leek te hebben. Collier was tweeëndertig en zo sterk als een os. Hij was zes jaar agent geweest en was nu twee jaar rechercheur.

Over twee uur zou een ander team de bewaking van Alberta Spanio overnemen, die op dat moment lag te slapen in de afgesloten slaapkamer. Cliff en Ed hadden elkaar twee avonden eerder ontmoet, toen ze elk iemand van hun eigen bureau moesten aflossen. Allebei de avonden hadden ze Alberta net voor middernacht welterusten gewenst en haar de deur horen afsluiten. Collier keek daarna de hele nacht televisieprogramma's die voortdurend werden onderbroken door weerberichten die meldden dat er steeds meer sneeuw viel en dat de temperatuur steeds verder daalde. Taxx had af en toe meegekeken en verder een detective gelezen die zich afspeelde in Florida. De twee mannen waren geen vrienden geworden, maar hadden ook geen hekel aan elkaar. Behalve het werk hadden ze weinig gemeen. Nadat Alberta haar deur had afgesloten, praatten ze tien minuten over koetjes en kalfjes en daarna viel er een kameraadschappelijke stilte met Jay Leno op de achtergrond.

Het Brevard Hotel was geen officieel beveiligd onderkomen van de politie of het Openbaar Ministerie. Met Alberta Spanio werd geen enkel risico genomen. Ook niet dat van een lek in het ministerie. Dat was wat de twee mannen en de mensen van de andere twee diensten te horen hadden gekregen. Ze hadden allemaal genoeg ervaring en hersens om voor het karwei te worden uitgekozen, wat betekende dat ze allemaal wisten dat er altijd een kans was dat de mensen voor wie ze Alberta Spanio moesten beschermen erachter zouden komen waar ze zich bevond.

Als Alberta, een kleine, onnatuurlijk blonde en uiteraard zeer bange vrouw met grote borsten, had gevraagd of ze mocht telefoneren, hadden Ed en Cliff dat beleefd geweigerd, op dezelfde manier als ze nee zouden hebben gezegd als ze een broodje ham had willen bestellen. Geen roomservice. Geen bestellingen. Er kwam alleen eten als de agenten werden afgelost.

De aflossing, die over een uurtje zou komen, zou iets meenemen voor het ontbijt, waarschijnlijk Egg McMuffins en koffie, dat ze de vorige dag ook hadden gekozen.

'Het is acht uur,' zei Taxx met een blik op zijn horloge. 'We moesten haar maar eens wakker maken.'

'Ik moet naar de wc,' zei Collier, die opstond van de bank, knikte en naar de slaapkamerdeur liep. Hij klopte luid en riep: 'Wakker worden, Alberta.'

Geen antwoord. Collier klopte nogmaals.

'Alberta.' Eerst een roep en toen een vraag: 'Alberta?'

Nu stond Taxx naast hem. Hij klopte en riep: 'Wakker worden.'

Nog steeds geen antwoord. De twee mannen keken elkaar aan. Taxx knikte tegen Collier, die begreep wat hij wilde zeggen.

'Als je niet opendoet, breken we de deur open,' zei Taxx luid maar kalm.

Taxx keek op zijn horloge, telde tot vijftien en ging aan de kant, zodat de jongere, grotere agent zijn gewicht in de strijd kon werpen. Collier zette zijn schouder tegen de deur zoals hij op de politie-academie had geleerd. Gebruik het gespierde deel van de arm, niet het benige deel van de schouder. Ga niet meteen voluit tegen die deur aan als je niet heel snel naar binnen hoeft. Raak hem hard, verzwak hem. Vecht tegen het hout, niet tegen het slot. Toen Collier de deur raakte, kraakte hij, maar hij ging niet open. Het slot hield stand. Collier ging een paar stappen achteruit en wierp zich nog eens tegen de deur. Dit keer vloog hij met veel gekraak van splinterend hout open en Collier struikelde naar voren.

Het was ijskoud in de kamer.

Taxx keek naar het bed, waar een berg dekens op lag. Het raam aan de andere kant van de kamer was dicht, maar uit de open deur van de badkamer kwam een vlaag vrieslucht.

'Badkamerraam,' zei Taxx, die zelf op het bed afstormde.

Collier herstelde zich en rende drie meter door de kamer naar de badkamer. Het raam stond open, wijdopen. Collier stapte in het bad om over de berg sneeuw die zich had opgehoopt naar buiten te kijken, dacht eraan het raam dicht te doen maar weerhield zich daarvan, stapte uit het bad en liep over de tegels terug naar de open badkamerdeur.

Taxx stond naast het bed. Hij had de dekens weggetrokken. Collier zag het lijk van Alberta Spanio op haar zij liggen. Haar gezicht was wit, haar ogen waren dicht en een mes met een lang heft was diep in haar nek gestoken.

Ed Taxx en Cliff Collier kenden Alberta Spanio niet en het weinige dat ze van haar gezien hadden, had hen niet aangestaan. Ze had geen strafblad, was nooit gearresteerd. Ze deed het niet om zelf onder een veroordeling uit te komen. Ze was drie jaar de minnares van Anthony Marco geweest en ze was bang voor hem. Ze had een eind aan de relatie willen maken en toen Marco was gearresteerd wegens moord en afpersing, had Alberta zelf het Openbaar Ministerie gebeld.

Maar misschien was ze eraan gaan twijfelen of het wel slim was om alles te vertellen wat ze over Anthony wist, wat een heleboel was, want ze was vervallen tot een narrige, bitse, vloekende gemelijkheid.

Er was dus geen moment van verdriet voor Taxx en Collier, maar wel het inzicht dat het feit dat ze een kroongetuige in de rechtszaak tegen een belangrijke figuur in de georganiseerde misdaad niet hadden kunnen beschermen, nadelige gevolgen zou hebben voor hun carrière.

Er was geen telefoon in de slaapkamer. Die was weggehaald om te voorkomen dat Alberta Spanio iemand zou bellen. Collier ging snel door de kapotte deur de andere kamer in, recht op de telefoon af.

Rechercheur Moordzaken Don Flack kende Cliff Collier, niet goed, maar goed genoeg om hem bij zijn voornaam te noemen en een praatje te maken bij de koffieautomaat op het bureau als ze elkaar af en toe tegenkwamen. Ze hadden samen op de politieacademie gezeten.

Nu zat Collier bij de districtspolitie en kreeg hij te maken met allerlei tuig, van prostituees die de zaak wilden oplichten tot bendeleden. Collier had zowel intimiderende afmetingen als een intimiderende aard. Flack wist dat Collier ambitieus was — zijn vader en zijn oom waren allebei bij de politie geweest — en dat hij zich dus zorgen maakte over zijn toekomst terwijl hij Flacks vragen beantwoordde.

Taxx leek het gebeuren meer gelaten over zich heen te laten gaan. Ze waren een belangrijke getuige kwijtgeraakt die over twee dagen haar getuigenis had moeten afleggen. Dat was niet iets waardoor je je pensioen kwijtraakte en Taxx had verder geen ambities. Het feit zou op zijn staat van dienst vermeld worden. En wat dan nog? Hij was niet uit op promotie of opslag. Maar hij had wel dienst gehad terwijl de persoon die hij moest bewaken niet echt onder zijn neus vermoord was, maar toch wel bijna.

Flack stond met zijn aantekenboekje in de hand, de kraag van zijn leren jasje hoog opgezet tegen de kou. Nu de deur kapot was en het badkamerraam nog steeds openstond, leek de kamer waarin ze stonden met de seconde kouder te worden, ondanks de golf van warmte van een nabij verwarmingsrooster.

In de slaapkamer stond rechercheur Stella Bonasera naast het bed op het lijk neer te kijken en foto's te nemen. In de badkamer riep Danny Messer, die latex handschoenen aanhad: 'Geen sporen van braak.'

Stella hoestte en voelde een lichte kriebel in haar keel. Straks werd ze nog verkouden. Misschien zou ze, als ze de kans kreeg, een paar aspirines innemen.

Met de camera langs haar zij keek ze neer op het lijk en weerstond de impuls om een losse lok blond haar met donkere wortels uit het gezicht van de dode vrouw te strijken. Alberta Spanio had veel moeite gedaan om haar knappe uiterlijk van tien of twaalf jaar eerder te behouden, maar was aan de verliezende hand. Het bloed was langs haar hals op het kussen gelopen waar ze op lag. Het was niet veel, niet de hoeveelheid die Stella zou hebben verwacht. Ze stopte de camera in haar zak, haalde de bus met magnetisch poeder uit haar koffer, maakte hem open, haalde de borstel eruit en controleerde zorgvuldig of er vingerafdrukken op het gladde heft van het mes in de nek van de vrouw zaten. Schoon. Geen afdrukken.

Op het tafeltje naast het bed stonden twee belangwekkende voorwerpen. Een ervan was een open potje met nog twee pillen erin. Op het etiket stond ALEPPO en Stella wist dat dat een slaapmiddel was. Sheldon Hawkes zou haar kunnen vertellen hoeveel van het middel de dode vrouw in haar bloed had. Stella bepoederde het potje, op zoek naar afdrukken. Er stond één duidelijke vingerafdruk op. Ze pakte het potje op door er twee in latex gevatte vingers in te steken en liet het samen met het deksel, dat naast het potje had gelegen, in een plastic zak vallen die ze dichtritste en in haar koffer op de grond stopte.

Het andere voorwerp op het tafeltje was een helder glas met een kleine hoeveelheid amberkleurige vloeistof erin. Stella boog zich eroverheen om aan het glas te ruiken. Alcohol. Hawkes zou haar ook vertellen hoeveel alcohol de dode vrouw had gebruikt. Een combinatie van slaappillen en alcohol kon dodelijk zijn, maar het mes in Alberta Spanio's nek maakte die mogelijke doodsoorzaak onwaarschijnlijk.

Stella bepoederde het glas om te kijken of er vingerafdrukken op stonden, vond drie mooie, schonk de vloeistof in een plastic beker met schroefdop die ze uit haar koffer haalde, zette die beker in de koffer, deed het glas voorzichtig in een plastic zakje en verzegelde die.

'Wil je even kijken?' riep Danny vanuit de deuropening naar de badkamer.

Hij had de deurknop aan beide kanten al bepoederd, had wat vingerafdrukken gevonden en had daar zorgvuldig een afdruk van gemaakt.

'Ik kom eraan,' zei Stella, die wegliep bij het bed.

Ze ging de badkamer binnen en keek naar het open raam.

'Hoe laat is ze gestorven?' vroeg Danny.

Stella haalde haar schouders op.

'Het lichaam is koud. Ik weet het niet zeker, misschien kan Hawkes er meer over zeggen, maar ze is niet bevroren. Op zijn hoogst drie uur, zou ik zeggen.'

'Wanneer is het opgehouden met sneeuwen?' vroeg Danny.

'Dat weet ik niet,' zei Stella. 'Vier, vijf uur geleden. Dat gaan we nog wel na.'

'De moordenaar moet heel klein zijn geweest,' zei Danny, die naar het open raampje keek. 'Hij is van boven via een ladder of een touw naar beneden geklommen. Er is hier geen brandtrap. Een hele toer met die wind en die sneeuw.'

Stella ging naar het raam, haalde een schoon paar latex handschoenen uit haar zak, deed ze aan en ging met haar vingers over de onderkant van het kozijn. Toen stak ze haar arm naar buiten en voelde langs de buitenkant. De kou stak in haar wangen en ze trok haar hoofd voorzichtig terug.

'Neem het raam mee naar het lab,' zei ze.

'Oké,' zei Danny.

'Controleer het toilet ook,' zei ze en ze onderdrukte de aandrang om haar neus op te halen.

'Heb ik al gedaan,' antwoordde hij. 'Niets.'

'Laten we dan allebei in de andere kamer aan het werk gaan. Ik doe het lichaam, het bed en het tafeltje ernaast. Jij doet de vloer en de muren.'

'Nadat ik het raam eruit heb gehaald?' vroeg hij.

'Dat raam kan wel wachten tot we klaar zijn,' zei ze.

In de andere kamer zei Taxx: 'Kijk zelf maar.'

Hij ging naar het raam en keek naar buiten. Flack kwam naast hem staan. Collier stond met onrustige handen midden in de kamer naar de open slaapkamerdeur te kijken.

'Zes verdiepingen hoog,' zei Taxx tegen Flack. 'Geen brandtrap.'

'Ook niet bij het badkamerraam?' vroeg Flack.

Taxx schudde zijn hoofd. 'Stenen muur,' zei Taxx. 'Kijk zelf maar.'

'Dat zal ik doen,' zei Flack. 'En jullie hebben de hele nacht geen geluid in de slaapkamer gehoord?'

'Niets,' zei Taxx.

'Niets,' beaamde Collier.

'Toen ze naar bed ging... vertel me wat er toen gebeurde,' zei Flack. Het patroon was alle drie de avonden hetzelfde geweest, zeiden allebei de agenten. Alberta Spanio nam een borrel mee naar de slaapkamer, slikte twee slaappillen, zei 'welterusten' met de borrel in haar hand, deed de deur op slot en ging waarschijnlijk naar bed. Er stond een televisie in de slaapkamer, maar de twee mannen die haar moesten bewaken hadden hem niet gehoord en hij had niet aangestaan toen ze de deur hadden geforceerd. Ze hadden ook geen bad of douche gehoord, maar ze wisten dat ze dat wel gedaan zouden hebben als Alberta een van de twee gebruikt had. Twee avonden eerder had ze wel gedoucht. Bovendien hadden ze haar de slaappillen en een grote slok whisky zien nemen. Ze moest een minuut nadat ze haar kamerdeur had dichtgedaan hebben geslapen.

'Wat is er in godsnaam gebeurd?' vroeg Collier, die naar de slaapkamer keek en zich waarschijnlijk voorstelde dat hij de rest van zijn leven zijn huidige rang zou behouden, als hij geluk had.

Flack gaf geen antwoord. Hij wist dat Collier dat ook niet verwachtte. Hij deed zijn aantekenboekje dicht.

3

Lutnikov had maar een kleine flat met een woonkamer, een slaap-kamertje en een keukentje in een nis. De woonkamer leek meer een bibliotheek; langs drie wanden stonden boekenkasten tot aan het plafond, met de boeken kriskras door elkaar. Midden in de kamer stond een groot, houten bureau met een schrijfmachine erop. Het bureau lag vol papieren, krantenknipsels en tijdschriften en stond met de achterkant naar het raam, zodat het licht over zijn schouder viel als hij zat te werken. De stapel papieren op het bureau dreigde op de grond te vallen en drie velletjes papier schenen dat al gedaan te hebben. Niet ver van het bureau stond een luie stoel met een lamp erachter en een tafeltje vol boeken ernaast. Tegenover de luie stoel zagen ze een zachte, bruine bank die nodig gerepareerd moest worden en die net niet oud genoeg leek om een nostalgisch aandenken aan de jaren vijftig genoemd te kunnen worden.

De enige andere kamer in het appartement dat de beheerder van het gebouw voor Aiden en Mac had opengemaakt, was Lutnikovs slaapkamer. Daar waren nog meer boekenplanken vol boeken en stapels tijdschriften, een toilettafel, een klerenkast, een ladekast met een witte Sony-televisie erop en een tweepersoonsbed dat in tegenstelling tot de chaos in de rest van het appartement met militaire precisie was opgemaakt.

'Daar is de keuken,' zei de beheerder, die Nathan Gremold heette, een jaar of zestig was en een brede, felle, zilverkleurige das droeg. Gremold was een van de oudere beheerders van Hopwell and Freed, de op twee na grootste woningcoöperatie in Manhattan, gespecialiseerd in topklasse flatgebouwen. Hij had geprobeerd zijn afkeuring voor Lutnikovs duidelijke onverschilligheid voor het chique gebouw dat hij bewoonde te verbergen.

Hij wees niet naar een keuken, maar naar een nis en die hoefde niet bepaald aangewezen te worden.

Aiden en Mac liepen langs het bureau naar het keukentje, een stap achter Nathan Gremold. De hele nis was smetteloos schoon. Meer dan netjes. Hij was goed geschrobd en op het aanrecht stond niets anders dan een stel houten zout- en peperstrooiers. Mac deed de kastjes open. De pakken en blikken stonden netjes op een rij. Een van de planken was helemaal voorbehouden aan dozen met organische ontbijtgranen.

'De man houdt van cornflakes,' zei Aiden.

Mac pakte een doos, bekeek hem even en zette hem weer terug. De koelkast was goed voorzien, maar niet bijzonder gevuld. Op het bovenste plankje stond een nog bijna vol pak vanille sojamelk naast een netjes dichtgebonden, half opgebruikt volkorenbrood.

Ze liepen de woonkamer weer in, waar Nathan Gremold met zijn handen langs zijn zij stond te wachten.

'Wij redden ons wel. Als we klaar zijn, sluiten we wel af. Maar eerst twee vragen,' zei Mac terwijl Aiden naar het bureau liep en naar de stapel papieren en de schrijfmachine keek.

Gremold aarzelde. 'Ja,' zei hij.

'Was meneer Lutnikov de eigenaar van deze flat?' vroeg Mac.

'Nee,' zei Gremold. 'Het is een huurflat.'

'Hoe hoog is de huur?'

'Drieduizend per maand,' zei Gremold. 'Dit is een van onze weinige goedkope appartementen.'

'Hoe betaalde hij?'

'Per cheque. Op de eerste van de maand. Altijd stipt op tijd.'

'Weet u wat hij voor de kost deed?'

'Ik heb op zijn oorspronkelijke aanvraagformulier gekeken toen de politie ons kantoor belde,' zei Gremold. 'Als u daar een kopie van wilt hebben…'

'Dat zou fijn zijn,' zei Mac.

'Op het formulier heeft meneer Lutnikov aangegeven dat hij tekstschrijver was, voornamelijk van dure kledingcatalogi en meubelbedrijven.'

'Inkomen?' vroeg Mac.

'Als ik me goed herinner, heeft hij vermeld dat zijn inkomen gemiddeld 130.000 dollar per jaar was.'

'Heeft hij referenties opgegeven?'

'Ongetwijfeld,' zei Gremold, 'maar zo uit mijn hoofd...'

'Bedankt,' zei Mac. Hij haalde een kaartje tevoorschijn en gaf dat aan Gremold. 'Als u een kopie van dat formulier naar mijn kantoor wilt faxen...'

'Natuurlijk,' zei Gremold. Hij haalde een notitieboekje uit zijn jaszak en stak het kaartje erin.

Toen hij weg was, richtte Mac zijn aandacht weer op het appartement.

'Dit zijn voor het merendeel aantekeningen, waarvan sommige getypt,' zei Aiden, kijkend naar de stapel op het bureau.

'Wat voor aantekeningen?' vroeg Mac, die naar de boekenkast tegen de muur aan zijn linkerkant liep.

'Dit soort,' zei ze en ze hield een blaadje omhoog.

De gekrabbelde aantekening op een blauwe Post-it luidde: CONTROLEER SOORTEN VERGIF. ZIJN ER DIE ABSOLUUT NIET OPGESPOORD KUNNEN WORDEN?

'Hij had naar ons toe moeten komen,' zei Mac, die de planken bekeek.

'Vreemde aantekeningen voor een man die chique catalogi schrijft,' zei ze en ze bekeek de stapel verder.

'Vreemde kerel,' zei Mac. 'Hij maakt zijn bed op als een opleidingssergeant van de marine, houdt zijn keuken zo schoon als een operatiezaal en werkt in een rotzooi.'

'Het is wel een rotzooi,' zei Aiden, die een stapel tijdschriften bekeek, 'maar het is wel schoon. Je zou verwachten dat hij een computer had.'

'Jammer,' zei Mac zonder op te kijken.

Hij deed een stap achteruit en keek zoekend om zich heen. Er waren geen dossierkasten en hij vond niet meteen wat hij zocht, dus liep hij langzaam door het appartement. Ongeveer de helft van de boeken op de planken waren detectives. De rest bestond uit een brede, eclectische verzameling op het gebied van geschiedenis, wetenschap, geografie en kunst.

Toen hij vanuit de slaapkamer de woonkamer weer in liep, doorzocht Aiden net de laden van het bureau.

'Zie jij iets dat hier niet zou moeten zijn?' vroeg hij.

Ze keek even om zich heen, schudde haar hoofd en keek hem aan.

'En iets dat er zou moeten zijn, maar er niet is?' vroeg hij.

Ze keek nog eens en toen viel het haar in.

'Hij heeft Gremold verteld dat hij de kost verdiende met het schrijven van chique catalogi,' zei ze.

'Zie jij catalogi in deze flat?' vroeg hij.

Ze schudde haar hoofd.

'De man had geen hart voor zijn werk,' zei Aiden.

'Of hij verdiende de kost niet met het schrijven van catalogi,' zei Mac.

Met de lijst van portier Aaron McGee begon Mac op de vijftiende verdieping. Hij gebruikte een draagbare ALS in een zaklantaarn en een amberkleurige veiligheidsbril om het halletje voor de lift zorgvuldig te controleren op bloed, speeksel, drugs of wat hij verder ook maar kon gebruiken. Hij zocht ook naar het moordwapen of de kogel, hoewel hij niet echt verwachtte die te vinden. De moordenaar had ze waarschijnlijk allebei meegenomen, maar er waren vreemdere dingen gebeurd, veel vreemdere. Hij zou de procedure op elke verdieping herhalen.

De bewoners van elk van de bovenste zeven verdiepingen van de flat hadden de schoten waarschijnlijk alleen kunnen horen als ze op hun verdieping waren afgevuurd, als ze tenminste thuis waren geweest. Waarschijnlijk. Het was een oud gebouw met dikke muren. Mac twijfelde of de huurders het schot wel zouden horen, zelfs als ze voor de lift stonden. Dat zou afhangen van het aantal verdiepingen dat ertussen zat, concludeerde hij.

Volgens de portier waren zes van de bewoners voor de winter naar Florida vertrokken, ook de Galleghers op de zestiende en de Galleghers op de zeventiende verdieping. De Galleghers van de zeventiende waren de zoon, schoondochter en kleinkinderen van de Galleghers op de zestiende. Mason en Tess Cooper op de negentiende zaten in Palm Springs in Californië. Cooper had McGee meer dan eens verteld dat zijn huis in Palm Springs naast het oude huis van Danny Thomas stond.

Dan waren de vijftiende, de achttiende, de twintigste en de eenentwintigste verdieping nog over.

Evan en Faith Taft op de vijftiende verdieping sliepen nog toen Mac met de koperen klopper op hun deur klopte. Evan, een man van in de vijftig met verward bruin haar en een blauwe kamerjas die zijn buikje niet kon verbergen, deed open en knipperde met zijn ogen toen Mac hem zijn insigne liet zien.

'Wat is er aan de hand?' vroeg Taft.

'Er is iemand vermoord in uw lift, meneer Taft,' zei Mac.

'In onze lift?'

'Hebt u vanmorgen schoten of ongewone geluiden gehoord?'

'Is er iemand in dit gebouw doodgeschoten? In onze lift?'

'Ja,' zei Mac. 'Hebt u iets gehoord?'

'Nee,' zei Taft. 'Ik zal het mijn vrouw moeten vertellen. Verdomme, ze heeft een hartkwaal. We zullen het appartement waarschijnlijk moeten verkopen en verhuizen. Ze zal nooit meer in die lift willen. Weet u hoe de huizenmarkt is in deze stad?'

Mac wachtte terwijl Evan Taft met een zucht verder praatte.

'Misschien moeten we maar naar ons huis op het Island. Als we er kunnen komen met al die sneeuw.'

'Kende u Charles Lutnikov, die in dit gebouw woont?' vroeg Mac.

'De naam zegt me niets. Heeft hij iemand vermoord?'

'Nee, hij was het slachtoffer.'

'Op welke verdieping woont hij?'

'Op de derde. Zwaargebouwde man, licht kalend, misschien een beetje onverzorgd.'

'Ik weet het niet, misschien wel,' zei Taft. 'Het klinkt bekend, maar...'

'Ik zal later iemand langs sturen met een foto,' zei Mac. 'Hoe goed kent u de rest van de buren, degenen die deze lift gebruiken?'

'Niet zo goed,' zei hij. 'De Wainwrights op de achttiende, dat is de Wainwright van Rogers and Wainwright, de effectenmakelaars. Hij beheert een aantal van onze investeringen. De anderen kennen we niet zo goed, daar zeggen we alleen hallo tegen als we ze tegenkomen in de lift of in de hal. De Barths op de twintigste zijn met pensioen, die hadden een kartonfabriek in North Carolina. De

Coopers op de negentiende… Kent u de Daisy Ice Cream-keten in het zuiden?'

'Nee,' zei Mac.

'Nou, die is eigendom van de familie Cooper,' zei Evan, die zijn haar naar achteren streek en over zijn schouder keek of zijn vrouw er soms aankwam. 'Grote familie.'

'En het penthouse op de bovenste verdieping? Louisa Cormier?' vroeg Mac.

'Onze beroemdheid,' zei Taft. 'Ze staat weer op de bestsellerlijst van *The Times*. Een heel aardige dame. U kent dat wel, "hoe is het met u" als je elkaar tegenkomt in de lift, dat soort dingen. Ze is nogal op zichzelf.'

'Ja,' zei Mac. 'Hebt u vanmorgen iets gehoord, waarschijnlijk iets voor achten?'

'Iets gehoord?'

'Een schot bijvoorbeeld,' zei Mac.

'Nee, onze slaapkamer is aan de achterkant van het appartement. Is er verder nog iets?'

'Nee,' zei Mac.

'Dan kan ik beter gaan bedenken hoe ik het mijn vrouw moet vertellen.'

Mac knikte. Taft deed de deur dicht.

Op de andere verdiepingen verging het Mac niet veel beter. Aiden haalde hem op de tweeëntwintigste in en ze onderzochten samen de hal, net als hij op de verdiepingen daaronder had gedaan. Toen ze klaar waren, stofzuigde Aiden de vloer, zoals ze op elke verdieping gedaan had, en ze deed de inhoud van de stofzuiger in een aparte, gemarkeerde, doorzichtige plastic zak.

Voordat Mac met de glanzende koperen klopper bij Louisa Cormier aanklopte, onderzocht hij de hal met de ALS. Er waren kleine, maar duidelijke bloedsporen te zien.

4

De magere dokter Sheldon Hawkes met zijn donkere huid, zijn blauwe spijkerbroek en zijn zwarte T-shirt met de letters TECHNISCHE RECHERCHE op de achterkant, stond tussen twee tafels met de twee lijken. Naast hem stond Stella Bonasera.

Ze bevonden zich in een sobere, grote ruimte met blauw getint licht en enigszins donkere hoeken. De enige felle lampen waren die in het plafond, die witte lichtstralen op de twee naakte en van een label voorziene sterren van die dag wierpen, Alberta Spanio met het mes nog in haar nek en Charles Lutnikov, bij wie de twee gaten in zijn borst nu duidelijk zichtbaar waren. Beide lijken lagen naakt op de stalen tafels, ontdaan van elk sieraad, en gingen de wereld uit zoals ze erin waren gekomen, met uitzondering van de autopsie. Hun hoofden met de gesloten ogen lagen op stabiliserende blokken.

Hawkes had de temperatuur van beide lijken opgenomen op het moment dat ze waren binnengekomen en die vergeleken met de rectale temperatuur die Stella en Aiden hadden gemeten. Het tijdstip van overlijden was nooit met honderd procent zekerheid vast te stellen, tenzij er een getuige was die had gezien wat er was gebeurd en je een volledig vertrouwen in die getuige en zijn of haar horloge had. In geen van beide lijken was nog lijkstijfheid opgetreden, wat suggereerde dat ze minder dan acht uur dood waren. 'Suggereerde' was hierbij het belangrijke woord, want Alberta Spanio's lichaam was voor de eerste keer door Stella onderzocht in een kamer waarin de temperatuur −5 °C was.

Lijkstijfheid is echter een hoogst onbetrouwbare aanwijzing voor het tijdstip van overlijden. Lijkstijfheid is het verstijven en samentrekken van spieren als gevolg van chemische reacties in de spiercellen. Normaal gesproken begint de lijkstijfheid in het gezicht en de hals en vervolgens trekt de verstijving via de spieren naar beneden tot zelfs die in de tenen van het lijk zijn aangetast. De verstijving begint meestal achttien tot zesendertig uur na de dood en duurt ongeveer twee dagen, waarna de spieren zich weer ontspannen en beginnen te ontbinden. Warmte versnelt het proces. Hawkes had het aangetroffen in lijken die slechts een paar uur dood waren. Kou vertraagt het proces. Hawkes herinnerde zich gevallen waarin de lijkstijfheid pas na een week optrad. Bij magere mensen komt ze snel, ongeacht de temperatuur. Bij dikke mensen verliep het proces veel langzamer dan normaal. En het was ook niet ongewoon dat een lijk helemaal geen tekenen van lijkstijfheid ontwikkelde.

Nog voordat hij aan de autopsies begon, concludeerde Hawkes dat het tijdstip van overlijden dat de CSI'ers op de plaats van het misdrijf hadden berekend, redelijk accuraat zou kunnen zijn. De normale lichaamstemperatuur is 37 °C. Het lichaam neemt met een snelheid van ongeveer een graad Celsius per uur de omgevingstemperatuur aan waarin het lichaam is gevonden, tenzij die heel warm of extreem koud is. Gegeven de temperatuur van 22 °C in de lift en de temperatuur van de dode was het relatief gemakkelijk om het tijdstip van overlijden van Charles Lutnikov vast te stellen. Bij Alberta Spanio was het veel moeilijker geweest vanwege de vrieskou, die haar lichaamstemperatuur snel had doen dalen. Hawkes kon een betere schatting van het tijdstip van overlijden maken als hij met haar aan het werk ging en haar lichaamsfuncties en organen met zijn eigen instrumenten onderzocht.

Hij begon met het mes dat uit haar nek stak.

'Een neerwaartse steek,' zei hij voorzichtig terwijl hij het mes verwijderde. 'Diep. Een sterke aanvaller. Ook iemand die geluk had of iemand die precies wist waar de halsslagader zit. Ze sliep. Geen worsteling. Geen beweging. Zelfs niet nadat ze was doodgestoken. Het mes is een stiletto, recht uit *The Blackboard Jungle* of *West Side Story*, wat aantoont hoe up-to-date ik ben als het om films gaat. Goedkoop, scherp.'

Hawkes liet het mes in een roestvrijstalen kom vallen en gaf die aan Stella. Zij zou het aan de verzameling toevoegen waartoe ook het pillenpotje met deksel, het glas en de alcohol uit de hotelkamer behoorden. Tegen de tijd dat Hawkes klaar was, zou het badkamerraam misschien ook in het lab op haar staan te wachten.

Hawkes begon aan de vaste sectieprocedure, die altijd nieuw en plechtig leek, niet het onteren van een dode, maar het dienen van de gerechtigheid die zij en hun nabestaanden verdienden.

Hawkes maakte voorzichtig een Y-incisie, sneden in het lichaam vanaf beide schouders die elkaar ontmoetten bij het borstbeen en dan recht over de buik naar de schaamstreek liepen. Nu lagen de inwendige organen bloot. Hawkes gebruikte een standaard snoeitang voor boomtakken om de ribben en de sleutelbeenderen door te knippen. Hij tilde de ribbenkast op, zodat het hart en andere zachte organen bloot kwamen te liggen, die hij uitnam en woog. De volgende stap was het nemen van vloeistofmonsters van alle organen, gevolgd door het maken van een snede in de blootgelegde maag en darmen om de inhoud te onderzoeken.

Toen hij klaar was met het onderzoek van de romp, richtte Hawkes zijn aandacht op Alberta Spanio's hoofd. Eerst onderzocht hij de ogen op bloeduitstortingen, voor het geval het slachtoffer was gewurgd en daarna pas was gestoken. Daarna maakte hij voorzichtig een incisie in de hoofdhuid achter op het hoofd en pelde de huid naar voren over het gezicht om de schedel bloot te leggen. Met een elektrische zaag sneed hij de schedel door en met een beitel wrikte hij het schedeldak eraf, zodat hij de hersenen eruit kon tillen om die te wegen en te onderzoeken zonder ze te beschadigen.

Bij elke stap beschreef hij wat hij deed en wat hij zag. Zijn woorden werden opgenomen en de band werd gemerkt als bewijs.

'Klaar,' zei hij eindelijk. 'Ik stuur de monsters naar het lab.'

'Zeg er maar bij dat het snel moet,' zei Stella. 'Ik zal ze van onze kant een beetje opporren.' Het kwam in New York wel vaker voor dat een laboratoriumrapport weken of zelfs maanden op zich liet wachten.

Hawkes knikte en liep naar de wasbak in de hoek, waar hij zijn bebloede operatiejas en handschoenen uittrok, zich waste en schone handschoenen aantrok.

Stella voelde zich licht in het hoofd en dat moest te zien zijn, want Hawkes zei: 'Gaat het een beetje?'

'Prima,' zei ze.

Het was niet de sectie of de aanblik van het gehavende lijk dat haar dwars zat. Het was die verdomde griep. Ze vervloekte haar zwakheid, bedankte Hawkes en liep naar de deur.

'Nou,' zei Hawkes achter haar, 'laten we nu maar eens met meneer Lutnikov gaan praten.'

Gelukkig voor Stella was Lutnikov de zaak van Aiden en Mac. Ze vroeg zich af waarom geen van beiden present was.

Rechercheur Don Flack had bij de balie nagevraagd wie er had verbleven in de kamers boven en onder de kamer waarin Alberta Spanio was vermoord. Om niets aan het toeval over te laten, vroeg hij ook na wie daar weer boven en onder had gezeten.

De enige kamer die iets leek te kunnen opleveren, was die recht boven het open badkamerraam. Hij was gehuurd door ene Wendell Lang, die twee dagen eerder specifiek om die kamer had gevraagd en te horen had gekregen dat hij bezet was. Hij had een andere kamer genomen, contant betaald en was naar de kamer boven Alberta Spanio verhuisd zodra die vrijkwam. Meneer Lang had om zes uur die morgen uitgecheckt.

Helaas had de medewerker van wie Flack de informatie kreeg geen dienst gehad toen Wendell Lang in- of uitcheckte.

Flack pakte de oorspronkelijke incheckkaart voorzichtig bij de hoeken en liet hem in een plastic zakje vallen, die hij in zijn zak stak. Toen ging hij met een sleutel die hij van de manager had gekregen naar de kamer die Wendell Lang had gehuurd.

Het was maar een kleine kamer. Het kamermeisje had al schoongemaakt. Hij trof haar met een karretje in de gang, liet zijn penning zien en vroeg of ze de kamer had gestofzuigd en of ze het afval uit de kamer nog had.

Estrella Gomez was een gezette vrouw van in de dertig met een lichte huid. Ze had slechts een licht accent toen ze zei: 'Kamer 704. Niets in de afvalbak. Geen kranten en ook niets anders in de kamer. Heeft de handdoeken niet gebruikt. Heeft zelfs niet in het bed geslapen. Ik heb gestofzuigd. Meer niet.'

Flack zei tegen Estrella Gomez dat ze naar de receptie moest gaan en dat ze moest zeggen dat ze die kamer niet meer mochten verhuren omdat het een mogelijke plaats delict was. Toen ging hij de kamer in die Wendell Lang had gehuurd, liep naar het raam, deed het open en keek naar beneden. Een rechte val en twee problemen. Het raam was duidelijk te zien voor iedereen op 51st Street die opkeek en iedereen in het hoge kantoorgebouw aan de overkant. De kans dat iemand zich ongezien uit dit raam naar beneden kon laten zakken, was zelfs 's nachts klein, hoewel Don Flack vreemdere dingen gezien had.

Flack zou na de lijkschouwing van Hawkes precies weten wanneer Alberta Spanio was vermoord. Als de zon al was opgekomen, had iemand die uit een hotelraam op de zesde verdieping klom meer dan vijftig procent kans om gezien te worden.

Toen hij zijn hoofd weer naar binnen trok, zag Flack iets midden op het kozijn, een groef in het witte hout. De groef zag er nieuw uit en het blootgelegde hout was schoon. Hij raakte hem aan en bevestigde dat hij pas gemaakt was. Hij haalde zijn mobiele telefoon voor de dag en belde Stella.

Op het moment dat hij op de deur van Louisa Cormier wilde kloppen, ging Macs mobiele telefoon. Hij herkende het nummer op het schermpje niet.

'Ja,' zei hij, kijkend naar het goed gewreven, donkere hout van de deur, dat fijn gegraveerd was met krullen en bloemenranken.

'Meneer Taylor?' zei een zachte vrouwenstem.

Aiden stond naast hem te wachten, met haar aluminium koffer in de hand.

'Ja,' zei Mac.

'Met Wanda Frederichson. We willen het werk graag later afmaken, als het beter weer is en we genoeg sneeuw kunnen verwijderen.'

Mac zei niets.

'Als u toch aan de maandag vasthoudt, zullen we natuurlijk ons best doen, maar wij zouden het het beste vinden...'

'Maandag,' zei Mac. 'Het moet maandag. Doe uw best.'

'En u wilt nog steeds alles waar we het over gehad hebben?'

'Ja,' zei Mac. 'Volgens de weersvoorspellingen voor de lange termijn zal er na morgen minstens een week geen sneeuw meer vallen.'

'Maar de temperatuur blijft nog minstens zeven dagen rond de min zeventien.'

Mac hoorde dat de vrouw nog meer wilde zeggen, dat ze hem wilde overhalen te wachten, maar hij kon niet wachten. Het moest op maandag.

'En u zei dat er geen gasten zouden zijn?' vroeg Wanda Frederichson voor de zekerheid.

'Nee,' zei Mac. 'Alleen ik.'

'Maandag om tien uur, dus,' zei Wanda Frederichson gelaten.

Mac klikte zijn telefoon dicht. Zijn blik ontmoette die van Aiden. Als er al een vraag in die bruine ogen lag, verborg ze dat. Ze wist wel beter dan te vragen waar dat over ging.

Mac sloeg met de klopper op de versierde deur. In het appartement hoorden ze vijf tonen.

'*The Phantom of the Opera,*' zei hij.

'Nooit gezien,' antwoordde ze.

De deur ging open. Er stond een tenger vrouwtje van in de vijftig in een witte blouse en blauwe rok voor hen. Ze had korte, honingblonde krullen en blauwe ogen. Zowel de kleur van haar ogen als van haar haar was kunstmatig, maar bijna perfect. Ze was niet echt knap, maar ze bezat een delicate, goed verzorgde elegantie en een bijna trieste glimlach die volmaakt witte tanden liet zien.

'Louisa Cormier?' vroeg Mac.

De vrouw keek naar Mac en Aiden en zei: 'De politie, ja. Ik verwachtte u al. Meneer McGee heeft gebeld. Komt u alstublieft binnen.'

'Ik ben rechercheur Taylor,' zei Mac. 'Dit is rechercheur Burn. Zij zal buiten op me wachten.'

Louisa Cormier keek naar Aiden.

'U kunt gerust binnenkomen...' begon Louisa en toen keek ze naar Aidens jasje en zei: 'Plaats delict. De jongedame gaat mijn hal onderzoeken.'

Mac knikte.

'Ik vind het prima,' zei Louisa met een glimlach. 'En als dat niet zo was, kon ik er nog niets aan doen. Er is een moord gepleegd, en als meest geïsoleerde bewoner van dit gebouw wil ik graag dat u er zo snel mogelijk achterkomt wie het gedaan heeft. Komt u alstublieft binnen.'

Ze deed een stap achteruit, zodat Mac naar binnen kon. Toen hij binnen was, deed ze de deur dicht.

De ruimte was enorm. Een marmeren vloer als een donkere vlakte, een eethoek die groter was dan Macs flat met een massief houten tafel en zestien stoelen eromheen, een woongedeelte dat groot genoeg leek om in te tennissen, gemeubileerd met kleurig bekleed, antiek meubilair. Een glazen schuifdeur leidde naar een terras met een panoramisch uitzicht over de stad.

'Groot, nietwaar?' zei Louisa toen ze Mac zag kijken. 'Dit is het gedeelte dat ik de *Architectural Digest* liet gebruiken, dit en de keuken en mijn bibliotheek annex kantoor. Maar mijn slaapkamer…' Ze wees naar een deur in het woongedeelte. '… was verboden gebied voor de *Architectural Digest*, maar natuurlijk niet voor u.'

'Ik zou graag alle kamers willen zien,' zei Mac.

'Dat begrijp ik,' glimlachte de vrouw. 'U doet uw werk. Koffie?'

'Nee, dank u. Alleen een paar vragen.'

'Over Charles Lutnikov,' zei ze terwijl ze hem voorging naar het woongedeelte en hem met een tengere rechterhand uitnodigde te gaan zitten waar hij wilde.

Mac koos een rechte, beklede stoel. Louisa Cormier ging tegenover hem op een bank met klauwenpoten zitten.

'Kende u meneer Lutnikov?'

'Een beetje,' zei ze. 'De arme man. Ik heb hem ontmoet toen hij hier pas woonde. Hij had een van mijn boeken onder zijn arm en had geen idee dat ik hier een appartement had. Ik heb de verdiende reputatie dat ik nooit over mijn werk wil praten, maar toen ik Charles een paar weken later tegenkwam in de hal, had hij weer een van mijn boeken bij zich. *IJdelheid.*'

'Was hij ijdel?' vroeg Mac.

'Nee,' zuchtte ze. 'Dat is de titel van het boek. Maar ik liet me leiden door ijdelheid toen ik Charles met een van mijn boeken zag. Ik vroeg of hij het mooi vond en hij zei dat hij een grote fan was. Toen heb ik hem verteld wie ik was. Even leek hij me niet te geloven en toen sloeg hij het boek open en keek hij naar de foto achterin. Ik weet wat u denkt, dat hij al die tijd wist wie ik was, maar dat was echt niet zo. Dat kon ik wel zien. Ik was wel een beetje bang dat hij

39

zo'n overdreven fan zou blijken. Daar zou ik niet tegen kunnen, zo iemand in hetzelfde gebouw. U weet wel, bang om hem tegen te komen, om een praatje te moeten maken. De mensen in dit gebouw hebben respect getoond voor mijn privacy, net zoals ik die van hun respecteer.'

'Dus…?'

'Dus heb ik een paar basisregels met hem afgesproken,' zei ze. 'Ik zou zijn boeken signeren. Maar hij mocht me geen vragen stellen of commentaar geven als we elkaar tegenkwamen. We zouden gewoon glimlachen en hallo zeggen.'

'En dat werkte?'

'Heel goed.'

'Is hij ooit hierboven geweest?' vroeg Mac.

'Hierboven? Nee. Hebt u ooit een van mijn boeken gelezen?'

'Nee, het spijt me,' zei hij.

'Dat hoeft niet. Maar miljoenen mensen hebben ze wel gelezen.'

Ze glimlachte breed.

'Iemand van onze eenheid is een fan,' zei Mac. Ik heb hem wel met uw boeken gezien. Hebt u vanmorgen een schot gehoord?'

'Hoe laat?' vroeg ze.

'Waarschijnlijk om een uur of acht,' antwoordde hij.

'Toen was ik weg,' zei ze ernstig. 'Ik ga elke morgen naar buiten.'

'Waar bent u vanmorgen heen gegaan?'

'Nou, met goed weer wandel ik naar Central Park, maar daar was het vandaag niet de dag naar,' zei ze. 'Ik heb een krant gekocht, koffie gehaald bij de Starbucks en toen ben ik weer naar huis gegaan. Alstublieft.'

Ze stond op en ging naar de kamer die ze haar kantoor annex bibliotheek had genoemd.

'Kom maar,' zei ze. 'Dan signeer ik een boek voor uw vriend van de politie. Het nieuwe, *Dingen naar de dood*. Het komt over een maand of zo uit.'

Mac kwam overeind, liep achter haar aan en zei: 'Hebt u vanmorgen iets gehoord?'

'Nee,' zei ze terwijl ze de deur van het kantoor annex bibliotheek opendeed. 'Nee, maar ik zou toch niets gehoord hebben, al werd er iemand vlak voor mijn voordeur neergeschoten. Ik heb van zes tot acht hier in mijn kantoor aan een nieuw boek zitten werken, met de deur dicht, en daarna ben ik weggegaan.'

'Bent u met de lift gegaan?' vroeg Mac.

'U bedoelt of ik de dode man in de lift heb gezien?' vroeg ze. 'Nee, die heb ik niet gezien. Ik heb de lift niet gebruikt. Ik ben via de trap naar beneden gegaan.'

'Eenentwintig verdiepingen,' zei Mac vlak.

'Twintig,' zei ze, 'we hebben geen dertiende verdieping. Ik loop elke ochtend de trap af en na mijn wandeling ga ik via de trap naar boven. Die trap en mijn wandeling zijn zo'n beetje de enige lichaamsbeweging die ik krijg.'

Het kantoor was groot, niet zo enorm als de rest van het appartement, maar groot genoeg voor een rijk versierd, ebbenhouten bureau met gebogen poten en ingelegde ivoren randen met een bijpassende stoel en twee muren vol boekenplanken, niet zoveel als Lutnikov in zijn kleinere flat had, maar toch een behoorlijk aantal. Tegen een andere muur stond een kamerhoge, met glazen deurtjes afgesloten kast met houten planken. Op de planken bevond zich een vreemde verzameling voorwerpen.

'Mijn verzameling,' zei Louisa Cormier met een glimlach. 'Dingen die ik heb gebruikt bij de research voor mijn boeken. Ik probeer belangrijke voorwerpen te gebruiken of in ieder geval in handen te krijgen, zodat ik weet waar ik het over heb.'

Mac bekeek de verzameling. Er was een oude Arvin-radio uit de jaren veertig bij, een padvindersbijl, een grote, kristallen asbak, een enorm, gebonden boek met een rode, stoffen omslag, een art deco-beeldje van Erté van een slanke vrouw van ongeveer dertig centimeter hoog, een klauwhamer met een donkere, houten steel, een blauw sierkussen met gele kwastjes en de woorden NEW YORK WORLD'S FAIR erop, een zestig centimeter lang kromzwaard met een gouden gevest, een Coca Cola-flesje uit de jaren veertig en tientallen andere stukken.

'Iemand heeft me verteld dat trouwe fans er bijna een miljoen dollar voor zouden geven als ik ze zou signeren en de hele collectie op eBay zou zetten.'

'Geen vuurwapens,' merkte Mac op.

'Ik ga naar wapenwinkels en schietverenigingen als ik over vuurwapens schrijf,' zei ze. 'Ik verzamel ze niet.'

Er stonden zes dossierkasten, ook van ebbenhout, tegen de muur achter het bureau. Aan de muur boven de kasten hingen veertien ingelijste prijzen en een zwartwitfoto van achtentwintig bij zesendertig centimeter van een knap jong meisje voor een schoonmaakbedrijf.

'Dat ben ik,' zei ze. 'Mijn vader was bediende in die winkel. Ik werkte er na schooltijd en op zaterdag. We woonden toen in Buffalo. We waren niet bepaald welgesteld en dat bleek een zegen, want ik hou ervan geld te hebben en uit te geven. Hier is het.'

Ze stond naar een plank op ooghoogte in de rechterhoek van de kamer te kijken. Ze trok een boek tevoorschijn, sloeg het open op de titelpagina en vroeg: 'Voor wie is het?'

'Voor Sheldon Hawkes,' zei Mac.

Ze schreef zwierig iets op, klapte het boek dicht en overhandigde het aan Mac.

'Dank u,' zei hij toen hij het aannam.

Er stonden een Macintosh-computer en een printer op het bureau, maar geen scanner en geen geavanceerde accessoires.

'Nog iets anders?' vroeg ze met een brede, warme glimlach, terwijl ze haar handen in elkaar vouwde.

'Op het moment niet,' zei Mac. 'Dank u voor uw tijd.'

Ze liep met hem naar de voordeur en deed hem open. In de hal stond Aiden met haar metalen koffertje in de hand.

'Als ik u nog ergens mee van dienst kan zijn…' zei Louisa Cormier.

'Hebt u een hulp?' vroeg Mac.

'Nee,' zei ze. 'Er komt elke drie dagen een schoonmaakploeg om alles bij te houden.'

'Een secretaresse?' vroeg hij.

Louisa hield haar hoofd iets naar links, als een kwetsbaar, nieuwsgierig vogeltje, en zei: 'Ann Chen. Ze houdt mijn sociale en mijn zakelijke agenda bij, beschermt me voor verslaggevers, fans en nieuwsgierigen en ze doet mijn post en mijn website.'

'Werkt ze hier?' vroeg Mac.

'Meestal niet. Normaal gesproken werkt ze vanuit haar flat in de Village. Mijn telefoonnummer is geheim, maar toch weten mensen het soms te achterhalen. De telefoontjes gaan naar Ann, die ze met een eenvoudige druk op de knop met mij doorverbindt nadat ze heeft geluisterd wie het was.'

Zowel Aiden als Mac zag dat Louisa erover dacht een vraag te stellen, maar besloot het niet te doen.

'Is dat alles?' zei ze in plaats daarvan.

Aiden deed de deur naar de trap open. De lift bevond zich nog steeds op de begane grond.

'Voorlopig wel,' zei Mac met een glimlach. 'Ik weet zeker dat Sheldon erg blij zal zijn met het boek.'

Mac hield het boek omhoog. Hij volgde Aiden door de deur en Louisa bleef glimlachend achter.

Toen de deur dicht was, zei Aiden: 'Leest Hawkes detectives?'

'Geen idee,' zei Mac, die de smalle trap af begon te lopen. 'Geef me eens een grote zak. Ik wil de vingerafdrukken van onze beroemde schrijfster hebben. Heb je bloedmonsters van het tapijt kunnen nemen?'

Aiden knikte.

'Nou,' zei Mac, 'laten we dan maar eens gaan kijken of het bloed van Charles Lutnikov is.'

'Weet ze iets?' vroeg Aiden terwijl ze langzaam naar beneden liepen. Haar stem weergalmde langs de trap.

Mac haalde zijn schouders op en zei: 'Ze weet iets. Ze was heel monter, ze praatte te veel en ze veranderde steeds van onderwerp. Ze deed haar uiterste best om een attente gastvrouw te zijn die niets te verbergen heeft.'

'Maar ze loog,' zei Aiden. Mac had gevoel voor leugens. De mensen die met hem werkten, hadden soms door schade en schande geleerd niet tegen Mac te liegen.

'Iedereen liegt als hij met de politie praat,' had Mac eens tegen haar gezegd.

'Heb je iets gevonden?' vroeg hij nu.

Toen ze de hal binnen liepen, haalde Aiden een klein plastic buisje uit haar jaszak en gaf het aan Mac. Hij hield het tegen het licht om de inhoud te bekijken.

'Wat is het?' vroeg hij.

'Zes kleine stukjes papier,' zei ze. 'Wit, net confetti. Ik heb ze gevonden in het vloerkleed voor de deur van Louisa Cormier.'

5

Op de tafel voor Stella en Flack stonden het pillenpotje, het badkamerraam en het glas dat ze uit de hotelkamer hadden gehaald waarin Alberta Spanio was vermoord. Stella had alles gecontroleerd op vingerafdrukken. Er stonden heel duidelijke op het glas en het potje pillen, die allemaal behoorden aan de dode vrouw. Er stonden geen vingerafdrukken op het badkamerraam, maar Stella had het niet laten verwijderen met de hoop op redelijke afdrukken. Wat zij wilde, waren redelijke antwoorden. 'Dat is de buitenkant van het raam. Zie je dat gat?' zei ze tegen Flack. Ze wees naar een plek op het raam. Het was duidelijk zichtbaar. De tweeënhalve centimeter grote voor had de vorm van een komeet en de kleur van onbehandeld hout.

'Ik heb de binnenkant van dat gat bekeken,' zei ze. 'Groeven van een schroef. Er is iets in dat raam geschroefd en er weer uit getrokken, zodat die beschadiging in de vorm van een staart in het hout is achtergebleven.' Met een extractiepistool had Stella een afdruk gemaakt die piepkleine, gladde groeven liet zien.

Op dat punt kwam Danny Messer in een witte laboratoriumjas binnen met twee microscoopglaasjes, die hij aan Stella gaf met de woorden: 'Het schaafsel dat ik uit het schroefgat in het raam heb genomen.'

Stella schoof het eerste glaasje in de microscoop en bekeek het, en Danny zei: 'IJzeroxide. Wat er ook was ingeschroefd, was van ijzer, bijna nieuw.'

Stella ging een beetje opzij om Flack naar het glaasje te laten kijken. Hij zag kleine, donkere stukjes die zomaar wat door elkaar lagen. Toen hij achteruit ging, deed zij het tweede glaasje in de microscoop, met het monster uit de kamer boven die van Alberta Spanio. Ze keek een paar seconden en maakte weer plaats voor Flack. Nog meer stukjes, maar deze zagen er anders uit dan die op het andere glaasje.

'Staal,' zei Danny. 'Afkomstig van het monster dat rechercheur Flack uit de groef in het raam boven Alberta Spanio's badkamer heeft gehaald. Ze zijn niet gelijk aan het ijzer van wat er in het badkamerraam was geschroefd.'

'En wat concludeer je daaruit?' vroeg Flack.

'Niet meer dan dat degene die een stalen ketting uit het raam heeft laten bungelen iets zwaars aan de andere kant had om zo'n groef in het kozijn te maken.'

'Een kind?' vroeg Flack.

'Een kind dat ze naar het raam hebben laten zakken, dat naar binnen is gegaan en dat Alberta Spanio in de nek heeft gestoken?' gaf Stella terug.

'Ik heb straatkinderen gekend die het voor een paar honderd dollar zouden doen,' zei Flack. 'En misschien was het wel een vrouw, mager, misschien van de drugs, bereid om haar leven te riskeren voor wat geld om drugs te kopen.'

'Wat dacht je van dit idee?' zei Danny. 'Iemand liet een ketting uit het raam boven Spanio's badkamer zakken met een haak aan het eind. De haak paste in een andere haak of ring die in Spanio's badkamerraam was geschroefd. Hij trok het raam open en bleef trekken tot de ingeschroefde ring eruit kwam en het gat achterbleef.'

En toen is er iemand langs die ketting naar beneden geklommen?' vroeg Flack.

'Misschien,' zei Danny. 'Of ze hebben hem laten zakken.'

'Gevaarlijk,' zei Flack. 'Om langs een stalen ketting naar beneden te klimmen.'

'In een sneeuwstorm,' voegde Danny eraan toe.

'En om dan door het raam te klimmen of te zwaaien,' zei Flack. 'Niet gemakkelijk voor een kind of een junk.'

Stella voelde zich zwak en moe. Ze wilde haar hoofd op de tafel leggen en een uurtje slapen. In plaats daarvan zei ze: 'Laten we die kamer boven Spanio's badkamerraam eens nauwkeuriger bekijken.'

Op de roestvrijstalen tafel voor dokter Sheldon Hawkes lag het lichaam van Charles Lutnikov. Er liep een schone, lange snee van

46

net onder de hals van de dode tot net onder zijn maag. De flap die door de snee was ontstaan was open en diep, donkerrood rond blootgelegde ribben.

De ingewanden waren zichtbaar en de borstkas lag open als een groot boek. Het licht boven het lijk wierp geen schaduwen en liet elke darmkronkel en boog van botten en aderen zien.

Het was iets kouder in de zaal dan gewoonlijk, en daar was Mac dankbaar voor. De geur van wat de dode die ochtend of de avond tevoren had gegeten, dreef door de zaal. Mac keek naar Hawkes, die met beide handen op de tafel tegenover Mac stond.

'De man heeft een pizza gegeten als ontbijt,' zei Hawkes. 'Gehakt, aubergine en ui.'

'Interessant,' zei Mac.

'We beginnen met het gemakkelijke deel,' zei Hawkes. 'Wat weet je over onze man?'

'Zijn vingerafdrukken kwamen voor in de database van het leger,' zei Mac. 'Lutnikov heeft vier jaar bij de militaire politie gediend. Hij heeft meegedaan aan de Eerste Golfoorlog. Purple Heart.'

Hawkes wees naar een litteken op het been van de dode, net boven de enkel.

'Waarschijnlijk een landmijn,' zei hij. 'Er zitten nog een paar scherfjes in. De chirurg heeft waarschijnlijk besloten er niet naar te gaan zoeken en de wond nog erger te maken. Waarschijnlijk een wijs besluit.'

'En het schot waarmee hij is gedood?'

Hawkes sloeg de linkerkant van de borst als de omslag van een boek dicht.

'De wond die hem doodde was afkomstig van een handwapen, te oordelen naar de grootte van de wond een klein kaliber, waarschijnlijk een .22. De kogel is recht het hart in gegaan, er is bijna geen hoek. Hij stond voor de schutter, die wist waar hij of zij op richtte of geluk had.'

Mac knikte en boog naar voren om de wond te bestuderen.

'Aiden heeft de bloeddruppels op de vloer van de lift onderzocht,' zei Mac. 'Het bloed van de wond is honderdzevenendertig centimeter omlaag gevallen.'

'De dode is zo'n beetje één meter achtenzeventig,' zei Hawkes.

'Dus de kogel is recht naar binnen gegaan terwijl Lutnikov stond,' zei Mac.

'En?' vroeg Hawkes.

'Als de schutter rechtop stond met het wapen voor zich...' ging Mac verder.

'Dat moet de schutter ongeveer één meter vijfenvijftig tot één meter zevenenvijftig zijn geweest,' maakte Hawkes de zin af. 'Wil je weten wat het traject van de kogel was?'

Mac knikte.

'De kogel ging recht door het hart, maakte een bocht, raakte een rib, draaide om en kwam een paar centimeter van de ingangswond weer naar buiten.'

Hawkes haalde als een goochelaar een dun, metalen staafje tevoorschijn, dat hij in de ingangswond stak. 'Zoals ik al zei en zoals het patroon van de bloeddruppels bevestigt, is hij recht naar binnen gegaan.'

Hawkes haalde nog een staafje tevoorschijn, dat hij in een scherpe hoek naar boven in de uitgangswond duwde om zorgvuldig het pad van de kogel door de borstholte te volgen.

Hawkes trok de staafjes weer weg en zei: 'Heb je geen kogel gevonden?'

'Nog niet,' beaamde Mac. 'Heb je nog iets anders?'

Hawkes haalde een doorzichtig plastic zakje onder de tafel vandaan. Hij gaf het aan Mac, die het omhooghield en Hawkes aankeek.

'Uit wond nummer een,' zei Hawkes. 'Kleine stukjes bebloed papier.'

'Aiden heeft een paar van diezelfde stukjes op de plaats delict gevonden,' zei Mac. 'De kogel moet door papier zijn gegaan voordat hij Lutnikov raakte.'

'Een heleboel papier,' zei Hawkes. 'Als je ervan uitgaat dat een deel ervan bij de inslag verbrand is, zijn er nog steeds de stukjes die Aiden heeft gevonden en die ik tot dusver heb kunnen verwijderen.'

'Een boek?' vroeg Mac.

'Dat is jouw probleem,' zei Hawkes, die de borstflap weer opensloeg. 'Maar er zit inkt op een aantal van die fragmenten. O ja, Lutnikovs bloed en het monster dat je voor de lift bij het appartement van Louisa Cormier hebt genomen, komen overeen.'

Vijf minuten later, toen Mac Taylor in het lab over Aidens schouder stond te kijken hoe zij door een microscoop de bebloede papier-fragmenten onderzocht, ging zijn telefoon.
'Taylor,' zei hij.
'Meneer Taylor, nogmaals met Wanda Frederichson. Het spijt me dat ik u moet storen, maar ik heb met meneer Melvin van het kantoor gesproken en die zegt dat maandag niet mogelijk is. We kunnen geen mensen ter plekke krijgen om de sneeuw weg te halen en de wegen zullen...'
'En als er iemand doodgaat?' zei Mac.
Aiden keek op van haar microscoop. Mac liep een eindje van haar weg.
'Pardon?'
'Wat doet u als er tussen nu en maandag iemand doodgaat?' vraagt Mac.
'Wilt u dat echt weten?'
'Ja.'
'We bewaren de lichamen in de koeling,' zei ze.
'En joden?' vroeg Mac.
'Joden?'
'Die moeten hun doden binnen een dag of twee begraven, niet-waar?' zei hij.
'Dat is eigenlijk een vraag voor onze joodse directeur, meneer Greenberg,' zei ze.
'Dan wil ik meneer Greenberg graag spreken,' zei Mac.
'Alstublieft, meneer Taylor,' zei Wanda Frederichson geduldig. 'Ik weet...'
'Rechercheur Taylor,' zei hij. 'Hebt u het nummer van meneer Greenberg?'
'Ik kan u wel doorverbinden,' zei ze met een zucht.
'Dank u,' zei Mac met een blik op Aiden, die haar best deed niet op hem te letten.
De telefoon ging over met een dubbele beltoon en ging nog eens

over en toen hoorde hij een mannenstem: 'Arthur Greenberg. Waar kan ik u mee helpen?'

Mac legde hem de situatie uit en Greenberg luisterde rustig.

'Eens even kijken,' zei Greenberg. 'Geef me een paar seconden om mijn dossier te openen op de computer. Normaal gesproken ben ik hier niet op de sabbat, maar we hebben een... Eens zien. We hebben nog nooit... Ja. Meneer Taylor, ik lees hier de omstandigheden in uw dossier. We zorgen dat het gebeurt.'

Mac gaf Greenberg het nummer van zijn mobiele telefoon, bedankte hem, klikte de telefoon dicht en liep weer naar Aiden.

Ze keek op en liet zien dat ze nieuwsgierig was. Hij negeerde haar blik.

'Wat hebben we?' vroeg hij.

'Alles goed met jou?'

'Prima,' zei hij. 'Wat hebben we?'

'Wat we niet hebben, is een wapen of een kogel,' zei ze. 'Wat we wel hebben, zijn stukken van tachtig grams, wit, zuurvrij schrijfpapier, A4-formaat. Ze komen overeen met het papier in Lutnikovs flat.'

'En op een deel van het papier dat jij en Hawkes in de ingangswond hebben gevonden, zat inkt. Hoe zit het met de stukjes papier die je voor het appartement van Louisa Cormier hebt aangetroffen?'

Aiden knikte en zei: 'Hetzelfde. Het bewijst niet dat ze hem heeft neergeschoten, maar het wijst er wel op dat de kogel waarmee Lutnikov is vermoord net buiten Louisa Cormiers liftdeur is afgevuurd. Maar er zijn een heleboel manieren waarop de zes stukjes papier op het vloerkleed in Louisa Cormiers hal terecht konden komen. Misschien hebben we ze wel onder onze schoenen meegenomen.'

'Nee,' zei Mac.

'Nee,' beaamde Aiden.

'Maar,' zei Mac, 'een goede advocaat...'

'En Louisa Cormier kan de beste betalen,' voegde Aiden eraan toe.

Mac knikte en zei: 'Een goede advocaat kan een heleboel verklaringen bedenken. Kijk eens of je die inktvlekjes kunt terugvoeren op Lutnikovs schrijfmachine.'

Hij bleef even zwijgend staan en toen zei hij: 'Hoe lang zou je zeggen dat Louisa Cormier is?'

Aiden keek op, dacht even na en zei: 'Eén meter zevenenvijftig, misschien. Hoezo?'

Voordat hij antwoord kon geven, zei ze: 'Het patroon van de bloeddruppels.'

'Precies,' bevestigde hij en hij vertelde haar over zijn gesprek met Sheldon Hawkes en diens conclusies over de wond.

'Lutnikov had papier waarop hij had getypt bij zich toen hij werd neergeschoten,' zei Mac. 'De kogel is door het papier gegaan. Hij hield het tegen zijn borst.'

'Om zichzelf te beschermen,' zei Aiden.

'Tegen een kogel?'

'Het was alles wat hij had,' zei ze.

'Misschien probeerde hij wat hij had geschreven te beschermen,' zei Mac. 'Misschien is hij daarom vermoord.'

'Waar is het dan?' vroeg ze. 'En waar is de kogel...'

'En het wapen,' voegde Mac eraan toe. 'Je weet wat we nu moeten doen.'

Aiden stond op.

'Ik trek mijn jas aan, baan me een weg door het woeste noorden en kom terug met een schrijfmachinelint.'

'En...' begon Mac.

'Meer monsters van papier in Lutnikovs flat,' maakte ze de zin af. 'Papier waarop hij getypt heeft.'

'Neem een stofzuiger mee,' zei Mac. 'Onderzoek de vloer voor de lift van elke verdieping op sporen.'

'Dat hebben we al gedaan,' zei ze.

'Maar nu weten we wat we zoeken,' zei Mac.

Aiden knikte begrijpend. 'Het moordwapen, de kogel waarmee Lutnikov gedood is, het papier dat hij bij zich had en...'

'Een motief,' zei Mac.

'Ik kan maar beter gaan,' zei ze.

6

Het kamermeisje had bevestigd dat de man die de hotelkamer voor die nacht had gehuurd het bed niet had gebruikt en dat ze het die morgen helemaal niet had aangeraakt. Stella Bonasera stond ernaar te kijken en was er zeker van dat de man niet eens op het bed gezeten had. Danny Messer kroop op handen en knieën over de vloer. Ze hadden met zijn tweeën de paar meubelstukken in de kamer onderzocht, het bed, een stoel, een klein bureau en een kast met drie laden, waarop een kleine kleurentelevisie stond, en ook de deurknop en zelfs de stang en de wanden van de ingebouwde kast. Ze hadden niet gevonden wat ze zochten.

Stella liep naar het raam.

Don Flack had de rest van het hotelpersoneel ondervraagd, inclusief de receptionist die de dag tevoren, toen Wendell Lang de kamer had geboekt, dienst had gehad. De man had contant en vooraf betaald, met tweehonderd dollar extra voor telefoontjes of het gebruik van de bar. Hij had niet getelefoneerd, had de bar niet gebruikt en had ook niet de moeite gedaan zijn tweehonderd dollar op te halen. Hij had gewoon elektronisch uitgecheckt. De receptionist had geen goede beschrijving van de man kunnen geven.

'Het stormde,' had hij tegen Flack gezegd. 'Hij had een hoed op en een sjaal rond zijn kin. Hij was groot. Dat kan ik je wel vertellen. Heel groot. Minstens honderdvijftien kilo, waarschijnlijk nog meer. De andere man was klein, heel klein.'

'Andere man?' vroeg Flack.

'Ja,' zei de receptionist. 'Ik denk dat ze bij elkaar hoorden. Die andere man bleef op een afstandje staan, met zijn handen in zijn jaszakken. Hij had zijn kraag opgezet en zijn hoed, een van die ouderwetse gleufhoeden, was naar beneden getrokken.'

'Maar die Wendell Lang, die de kamer geboekt heeft, heeft alleen voor zichzelf getekend, voor één persoon?' vroeg Flack.

'Ja,' zei de receptionist, 'maar dat maakte niet uit. Of je nu met zijn tweeën of in je eentje de kamer gebruikt, het tarief blijft hetzelfde. Het was een eenpersoonskamer. Eén bed. Het was een vreemd stel, zo'n grote vent en zo'n klein opdondertje.'

Een die niet veel woog en een die het gewicht van de kleine man aan het eind van een stalen ketting kon dragen, had Don gedacht. Hij was onmiddellijk weer naar de kamer gegaan en had Stella verteld wat de receptionist had gezegd. Ze knikte en bleef aan het werk.

Stella bestudeerde het raamkozijn waar Don Flack het staalmonster uit had genomen. Ze bepoederde de binnenkant van het raam en de greep op vingerafdrukken en deed het toen open. Daarna leunde ze naar buiten en bepoederde de buitenkant van het raam. Ze trok de tape met de afdrukken mee de kamer in en deed het raam weer dicht.

'Ik moet het vloerkleed weghalen,' zei Danny, die nog steeds op de vloer knielde. Stella draaide zich naar hem om. Danny, die zijn handen in de witte handschoenen tegen elkaar wreef, zag eruit alsof hij aan het bidden was.

'Ga je gang,' zei ze.

Danny knikte, stond op, liep naar de muur bij de deur, waar zijn gereedschapskoffer stond, pakte een hamer en ging aan het werk. Hij noch Stella verwachtte iets te vinden onder het vloerkleed, maar ze zochten iets specifieks of bewijs dat wat ze zochten niet bestond.

'Ik ga naar het lab om de vingerafdrukken te bekijken en te zien of ik erachter kan komen wat die groef in het kozijn heeft gemaakt. Wil je mee?' vroeg ze aan Flack, maar hij weigerde en zei dat hij alle mogelijke aanwijzingen in het hotel zou nagaan.

Danny knikte. Hij had een krachtige stofzuiger om sporen te verzamelen in zijn linkerhand. In die stofzuiger zat een zak voor eenmalig gebruik. De kamer was niet groot. Stella wist dat het hem met een beetje geluk niet meer dan een uur zou kosten om het vloerkleed op te nemen. Normaal gesproken zou hij daarna tijd hebben om naar huis te gaan en te douchen, maar de sneeuw en het langzame verkeer zouden hem minstens nog een uur ophouden.

Toen de eerste reep vloerkleed loskwam en een verzameling dode insecten onthulde, waaronder een geplette, zwarte kakkerlak, zei

Stella: 'Bel me zodra je iets weet.'
'Goed,' gromde hij.

Aiden en Mac troffen een zeer geagiteerde Ann Chen bij Whitney's in de Village. Ze viel meteen op, de Aziatische vrouw die kort na hen de bijna lege koffiezaak in kwam.
Toen ze met een golf van ijskoude lucht door de deur kwam, keek ze om zich heen en zag ze de twee CSI'ers aan een tafeltje in de hoek zitten met koffiebekers voor zich. Mac stak een hand op en Ann Chen knikte. Ze trok haar wollen muts af en haar jas uit, waaronder een veel te grote, dikke, witwollen coltrui bleek te zitten. Ze liet de jas en de muts op de lege stoel naast Aiden vallen.
'Koffie?' vroeg Mac.
'Een dubbele espresso,' zei ze.
Mac riep de bestelling naar een jongeman die iets verderop achter de toonbank stond.
Ann Chen was mager, een jaar of dertig, leuk om te zien, maar niet mooi. Ze was ook duidelijk nerveus en verschoof veelvuldig in haar stoel in een vruchteloze poging haar draai te vinden.
'Ik slaap in het weekend meestal uit,' zei ze. 'Tenzij Louisa me nodig heeft.'
'Heeft ze je vaak nodig in het weekend?'
'Niet echt,' zei Ann. 'Is meneer Lutnikov echt dood?'
'Kende je hem?' vroeg Aiden.
Ann haalde haar schouders op terwijl de jongeman haar dubbele espresso bracht. Mac gaf hem drie biljetten van een dollar.
'Ik heb hem wel eens in het gebouw gezien,' zei Ann, die de warme beker tussen haar slanke vingers hield.
'Is hij ooit naar het appartement van juffrouw Cormier gekomen?' vroeg Mac.
Ann sloeg haar ogen neer en zei: 'Ik moet u zeggen dat ik me hierbij niet op mijn gemak voel. Louisa is zo goed voor me geweest dat... Ik heb hier geen prettig gevoel bij.'
'Heeft ze je vanmorgen gebeld?' vroeg Mac.
Ann knikte.
'Ze zei dat ik de politie kon verwachten. Toen belde u.'

'Is er nog iets waarvan ze u gevraagd heeft het ons niet te vertellen?' vroeg Mac.

'Nee,' zei Ann heftig.

'Wat doet u voor Louisa?' vroeg Aiden.

'De correspondentie en ik regel interviews met radio, televisie en de bladen, signeersessies en tournees,' zei Ann. 'Ik betaal ook de rekeningen en beantwoord de e-mail.'

'U werkt niet aan haar manuscripten?' vroeg Mac.

'Ja, als ze klaar zijn. Soms kom ik in het appartement en dan zegt ze zoiets als: "De nieuwe is klaar." Dan geeft ze me een floppydisk, die ik meeneem naar de computer achter in het appartement, bij de keuken, en dan corrigeer ik het boek. Maar de tekst zit meestal goed in elkaar en ik hoef er nooit veel aan te doen. Het is wel spannend om de eerste te zijn om een nieuwe detective van Louisa Cormier te lezen.'

'En dan?' vroeg Aiden.

'Dan zeg ik tegen Louisa dat ik klaar ben en dat ik het een prachtig boek vind, want dat is ook altijd zo.'

'En wat zegt zij daarop?' vroeg Mac.

'Ze glimlacht meestal en zegt iets als "dank je, schat" en dan neemt ze de floppy weer van me aan.'

'Ik heb Engels gestudeerd aan Bennington,' zei Ann Chen na nog een slokje koffie. 'Ik heb zelf al twee romans klaar. Ik probeer al drie jaar te beslissen of ik Louisa zal vragen ze te lezen. Misschien vindt ze ze niets. Of misschien denkt ze dat ik alleen maar voor haar werk om mijn eigen carrière als schrijfster te bevorderen. Ik heb een paar keer geprobeerd haar duidelijk te maken dat ik schrijfster wil worden. Maar ze is er nooit op in gegaan.'

'Hoe lang bent u?' vroeg Aiden.

Ann keek verbaasd.

'Hoe lang? Eén meter zevenenvijftig.'

'Heeft juffrouw Cormier een pistool?' vroeg Mac.

'Ja, ik heb het wel eens in haar bureaula zien liggen,' zei Ann. 'Het enige wat me echt niet lekker zit aan deze baan is het aantal gekken dat er rondloopt. U zou niet geloven hoeveel fans haar schrijven en e-mails sturen of geschenken met kaartjes waarop staat dat ze van haar houden en dat ze knoflook rond haar ramen moet hangen om buitenaardse indringers tegen te houden en dat soort dingen. Die over die knoflook en de buitenaardse wezens heeft ze echt gekregen. Ik verzin dit niet zelf.'

'Is er nog iets te vertellen over Louisa?' vroeg Aiden.

'Zoals wat?'

'Wat dan ook,' zei Mac.

'Ze gaat elke morgen een eind wandelen, of het nu regent, sneeuwt of dat de zon schijnt,' zei Ann peinzend. 'Als ze aan een boek werkt, werkt ze de laatste week of zo soms met de deur dicht en op slot.'

'U beheert ook haar bankrekening?' vroeg Mac.

'Ja. Het zijn er meerdere.'

'Heeft ze ooit grote sommen contant geld opgenomen?' vroeg Aiden.

'Ja,' zei Ann. 'Als ze een boek af heeft, neemt ze altijd vijftigduizend dollar op van haar persoonlijke rekening.'

'Wat doet ze daarmee?' vroeg Mac.

'Ze geeft het aan haar favoriete liefdadigheidsinstellingen,' zei Ann Chen met een glimlach. 'Ze doet het in enveloppen en dan schuift ze het zelf bij ze onder de deur door. De NAACP, het Leger des Heils, het Rode Kruis.'

'Hebt u haar dat zien doen?' vroeg Aiden.

'Nee, nooit. Ze doet het alleen en anoniem.'

'Verzorgt u haar belastingaangifte?' vroeg Mac.

'Ja en nee,' zei Ann. 'Mijn broer heeft zijn MBA gehaald aan de universiteit van New York. Hij helpt me er altijd mee.'

'En trekt ze haar donaties aan die instellingen altijd af?'

'Nee,' zei Ann. 'Ik heb er wel op aangedrongen. Mijn broer zegt dat het belachelijk is om het niet te doen, maar Louisa houdt vol dat ze de giften niet wil gebruiken om de belasting te ontduiken. Ik zeg u dat ze een goede vrouw is, maar ik zie wel dat u denkt dat ze meneer Lutnikov vermoord kan hebben.'

'Heeft ze dat gedaan?' vroeg Mac.

'Nee,' zei Ann. 'Ze zou zoiets net zo min doen als ik.'

'Goed,' zei Aiden. 'Hebt u Charles Lutnikov vermoord?'

'Wat? Nee, waarom zou ik? Meer heb ik eigenlijk niet te zeggen. Ik vind het niet loyaal tegenover Louisa.'

Ann Chen stond op.

'Dank u voor de koffie,' zei ze terwijl ze haar jas aantrok.

Toen ze weg was, zei Aiden: 'Ik zal bij de NAACP en het kantoor van het Leger des Heils in de buurt van Louisa Cormiers flatgebouw navragen of iemand enveloppen met contant geld onder hun deur door schuift omstreeks de tijd dat Louisa met een nieuw boek komt.'

'Nog koffie?' vroeg Mac.

'Cafeïnevrije met halfvolle melk, zonder suiker,' zei ze.

Mac bestelde koffie voor haar en zichzelf en haalde een plastic zak uit zijn tas, die onder de tafel stond. Hij deed zijn handschoenen aan. De jongeman achter de toonbank keek verbijsterd toe. Mac deed de beker van Ann in de zak, verzegelde hem en liet de zak in zijn koffer vallen.

'Jullie zijn van de politie, nietwaar?' vroeg het joch toen hij hun koffie bracht.

'Ja,' zei Mac.

'Cool,' zei het joch.

'Hoeveel kost die beker?' vroeg Mac.

'Niets,' zei de jongen. 'Niemand merkt dat hij weg is. En als ze het wel merken, zeg ik dat een klant hem kapot heeft gegooid.'

Hij keek nog eens naar Aiden en zei: 'Ben jij ook bij de politie?'

'Inderdaad,' bevestigde ze.

'Je weet het maar nooit, dat zie je maar weer,' zei hij en hij ging weer achter de toonbank staan toen de deur openging en een jong, lachend paartje binnenkwam.

Iets meer dan een uur later zat Danny naast Flack in zijn auto. Danny zette zijn bril recht en belde Stella. 'De hotelmanager wil weten wie het vloerkleed gaat betalen,' zei hij.

'Zeg maar dat hij de rekening naar het stadhuis stuurt,' zei ze.

'Dat heb ik gedaan.'

De auto stopte voor een rood stoplicht en gleed naar rechts. Hij kwam slechts een paar centimeter van een kleine, witte bestelwagen tot stilstand. De chauffeur keek naar Danny, eerst met ingehouden adem in afwachting van een botsing en toen met een woede-uitbarsting.

Zelfs door het door ijs bedekte raam kon Danny de man tegen hen horen schreeuwen in een taal die beslist in Scandinavië thuishoorde. Don Flack haalde rustig zijn portefeuille uit zijn jaszak en stak zijn arm langs Danny om zijn penning tegen het raampje te drukken.

De Scandinavische man, die zich nodig moest scheren, keek naar de penning en maakte een gebaar dat duidelijk moest maken dat het hem niet kon schelen of het de politie was, de burgemeester, de paus of Robert deNiro.

'Er staat een videocamera op deze hoek,' zei Flack terwijl hij zijn portefeuille weer wegstopte. 'Ik geloof dat iemand de Viking moet kalmeren voordat hij over de rooie gaat en er iemand gewond raakt.'

Danny knikte.

'Danny?' zei Stella met overdreven geduld.

'Op de vloer was niets te zien,' zei Danny. 'Geen gaten die groter waren dan die van de spijkers die ik eruit heb getrokken.'

Stella had niet anders verwacht. Danny drukte op de knop om Stella op de luidspreker te zetten, zodat Flack haar ook kon verstaan. Flack had net zijn eigen telefoon dichtgeklapt nadat hij de mensen die de camerabeelden bekeken gewaarschuwd had voor de rood aangelopen Viking, die zijn gaspedaal had ingetrapt zodra het licht op groen sprong. Hij miste Flacks auto op een haarbreedte en zigzagde naar voren.

'De vingerafdrukken hebben een positieve identificatie opgeleverd,' zei Stella. 'Steven Guista, ook bekend als Big Stevie, eerdere arrestaties voor van alles, van intimidatie tot mishandeling en moord. Twee veroordelingen, waarvoor hij gezeten heeft. Een voor meineed. Een ander voor afpersing. Officieel is hij vrachtwagenchauffeur voor de Marco Bakery, die het eigendom is van...'

'... Dario Marco,' maakte Danny haar zin af.

'De broer van Anthony Marco, tegen wie Alberta Spanio morgen zou getuigen,' zei ze.

'Weet Mac het al?' vroeg Flack, die rustig verder reed en de Viking in het busje naar het volgende stoplicht liet schuiven.

'Ik ga hem nu bellen,' zei ze.

'Wat wil je dat ik doe?' vroeg Danny.

'Kom hierheen en word een expert op het gebied van kettingen,' zei ze.

'Ook zwepen?' vroeg hij vlak.

Ze hing op.

Big Stevie zat in Toolie Prine's Bar op 9th Avenue een koude Sam Adams weg te gorgelen. Officieel en volgens de ouderwetse witte letters op het raam heette de bar Terry Malloy's naar het door Marlon Brando gespeelde personage in Big Stevies favoriete film. Officieel was de bar eigendom van Toolies zuster Patricia Rhondov, omdat Toolie gezeten had. Officieel was Toolie de barkeeper. Officieel moest hij zich nog steeds een keer per week melden bij zijn reclasseringsambtenaar. Maar iedereen die er iets van wist en de meesten die het niet wisten, noemden de bar nog steeds Toolie Prine's.

Big Stevies achterste hing over de barkruk. Stevie was sterk. Dat zat in zijn genen. Hij had nooit getraind. Zijn pa was ook sterk geweest en had in de haven gewerkt. Stevie had net als hij stuwadoor kunnen worden. Dan was hij Stevie de Stuwadoor geweest in plaats van alleen maar Big Stevie.

Toolie's was leeg op Stevie na, die het fijn vond om alleen in het bruinige donker te zitten en door het raam naar de auto's en de mensen te kijken die door de sneeuw ploegden.

Stevie was tevreden over zichzelf. Hij had gedaan wat hem verteld was. Het was gemakkelijk geweest, op het punt na waarop hij bijna uit het raam was gevallen, en hij had tien Benjamin Franklins in zijn portefeuille zonder dat hij daar iemands gezicht of knie voor kapot had hoeven slaan. Het enige nadeel was dat hij vier uur lang had moeten luisteren naar het geklaag van de jockey.

Jake de Jockey was geen slechte kerel, maar hij klaagde altijd. Hij klaagde over de film op de televisie en het formaat van het toestel. Hij klaagde over de warmte in de kamer. Hij klaagde over de gyros die ze hadden gegeten, die Stevie juist bijzonder lekker had gevonden. Stevie had er twee genomen.

Het karwei was goed verlopen en daarom had meneer Marco hem een dag vrij gegeven en morgen — maandag, Stevies verjaardag — ook. Hij zou dat eigenlijk uitgebreider moeten vieren dan alleen maar in Toolie's te zitten en kroezen Sam Adams achterover te slaan, maar hij kon niets bedenken dat hij graag wilde doen, behalve misschien Sandrine bellen en haar een meisje naar zijn tweekamerflatje laten sturen, misschien die kleine Maxine. Hij hield van kleine meisjes. Misschien later, als hij tenminste niet te veel bier op had.

De telefoon ging en Toolie nam op met: 'Ja.'

Daarna gaf Toolie de telefoon aan Big Stevie, die hetzelfde zei: 'Ja.' Stevie luisterde goed.

'Begrepen,' zei hij en hij gaf de telefoon weer terug aan Toolie.

Big Stevie had weer een klusje. Hij vroeg zich af of hij niet een beetje te oud was voor dit soort dingen.

De volgende dag zou Big Stevie Guista eenenzeventig worden.

Aiden Burn had de kantoren van de NAACP en het Leger des Heils gebeld. Bij de NAACP was niet opgenomen, maar er was wel een nummer voor noodgevallen.

Ze belde het nummer voor noodgevallen en kreeg een zekere Rhoda James aan de lijn, die zei dat ze in het kantoor werkte en dat ze zich niets kon herinneren van anonieme donaties die de laatste vier jaar onder de deur zouden zijn geschoven.

Bij het Leger des Heils werd wel opgenomen. Een kapitein Allen Nichols zei dat hij zich één donatie kon herinneren, een envelop met een biljet van honderd dollar die ze enige jaren geleden in hun brievenbus hadden aangetroffen. Omdat het net voor Kerstmis was geweest, waren alle donaties, variërend van een paar centen tot duizenden dollars, in de pot beland. Ze waren allemaal anoniem.

Ze had de informatie aan Mac doorgegeven en was toen teruggegaan naar de flat van Charles Lutnikov, waar ze was begonnen foto's te nemen van alle boekenplanken. Ze stond zo dichtbij dat de titels van de boeken allemaal duidelijk te lezen zouden zijn als ze afdrukken van twintig bij vijfentwintig zou maken.

Ze bleef staan voor een van de boekenkasten in de slaapkamer, waar twee planken helemaal vol stonden met ongerepte exemplaren van wat blijkbaar alle boeken van Louisa Cormier waren. Aiden legde haar camera neer en trok een van de boeken, *Ach, moord*, van de plank. Ze sloeg het open op de titelpagina. Het was niet gesigneerd. Ze keek alle boeken na en zette ze weer netjes terug. Het gevoel dat geen van de boeken was gelezen, werd bevestigd toen ze *Ach, moord* doorbladerde. Twee bladzijden zaten nog aan elkaar en waren nooit opengesneden, zodat Lutnikov noch iemand anders ze had kunnen lezen. Hij had de boeken niet gelezen en hij had ze niet laten signeren door de vrouw die hij bijna elke dag zag.

Ze haalde haar notitieboekje voor de dag en schreef het op om zich eraan te herinneren het aan Mac door te geven. Ze had de herinnering niet echt nodig, maar het kon geen kwaad en ze volgde zo de juiste procedure.

Een lukrake beschouwing van enkele tientallen van de honderden boeken in het appartement toonde aan dat die wel gelezen waren; de kaften waren beduimeld, de ruggen waren soms gespleten of vielen uit elkaar en er zaten koffievlekken en oude kruimels toast of donut in.

Vervolgens richtte ze haar aandacht op de schrijfmachine. Ze tilde de grijsmetalen bovenkant eraf en boog zich eroverheen om het zwarte lint te bestuderen. Ongeveer een derde van het lint zat op het rechterspoeltje en tweederde op het linker. Ze had vooral belangstelling voor het lint op de rechterspoel. Voorzichtig tilde ze de metalen clipjes los die de spoeltjes op hun plek hielden en haalde ze eruit.

Aiden deed het schrijfmachinelint in een zakje, sloot haar gereedschapskoffer, keek nog een laatste maal de kamer door en opende de deur. Ze keek nog één keer achterom toen ze onder het politielint door dook en deed de deur achter zich dicht.

Mac zat in het lab met een stapel dia's en foto's van vingerafdrukken uit de lift voor zich.

Mac had groot respect voor vingerafdrukken, nog meer dan voor DNA of zelfs bekentenissen. Hij had er een studie van gemaakt en in een dossierkast in zijn huis bewaarde hij aantekeningen over de geschiedenis van de vingerafdruk, aantekeningen die hij eens had willen omzetten in een boek. Hij had dat idee laten varen op de dag dat zijn vrouw was gestorven.

Vingerafdrukken konden eenvoudigweg niet liegen. Een vaardige bedrieger kon trucjes uithalen met vingerafdrukken, maar het simpele feit bleef bestaan dat geen twee vingerafdrukken gelijk waren. Dat was in de veertiende eeuw ontdekt door een Perzische dokter. Niemand had ooit twee gelijke vingerafdrukken gevonden. Zelfs de meest op elkaar lijkende identieke tweelingen hadden verschillende vingerafdrukken. Mac had eens een preek gehoord van een politiekapelaan die van mening was dat God deze microscopische waarheid in zijn schepping had opgenomen om de enormiteit ervan aan te tonen. Mac dacht daar niet veel over na. Wat hem interesseerde, was de waarheid ervan.

In de Verenigde Staten waren vingerafdrukken voor het eerst gebruikt in 1882 door Gilbert Thompson van het Amerikaanse geologische onderzoek in Nieuw Mexico. Hij zette zijn vingerafdrukken op een document om vervalsing te voorkomen.

In Mark Twains *Life on the Mississippi* uit 1883 wordt een moordenaar geïdentificeerd aan de hand van zijn vingerafdrukken.

De eerste melding van gebruik voor het oplossen van een misdaad was van Juan Vucetich, een Argentijnse politieman, in 1892. Hij stelde vast dat een vrouw met de naam Rojas haar twee zoons had vermoord en haar eigen keel had doorgesneden om een derde partij erin te luizen. Vucetich vond een bloederige vingerafdruk van Rojas op een deur. Die vingerafdruk was daar achtergelaten voordat ze haar keel doorsneed.

In 1897, onder de Britse Council General van India, werd het eerste bureau voor vingerafdrukken in Calcutta geopend, waarin gebruik werd gemaakt van een classificatie die was opgezet door twee Indiase deskundigen en die tegenwoordig nog steeds gebruikt wordt.

Acht jaar later, in 1905, begon het Amerikaanse leger vingerafdrukken te gebruiken voor de identificatie van personen. De marine volgde al snel.

Tegenwoordig heeft de FBI een computerindex, AFIS (Automated Fingerprint Identification System), waarin meer dan zesenveertig miljoen vingerafdrukken van bekende criminelen zijn opgeslagen. Bovendien heeft elke staat zijn eigen dossier met vingerafdrukken. New York vormt daar geen uitzondering op.

Na drie uur concludeerde Mac dat de vingerafdrukken van Ann Chen, Charles Lutnikov en Louisa Cormier overal in de lift stonden waarin Lutnikov was vermoord, samen met die van vele anderen.

Mac vroeg zich af wanneer de lift voor het laatst grondig was schoongemaakt. Hij dacht niet dat dat recent nog gebeurd was. Hij keek naar de vingerafdrukken van Lutnikov en de twee vrouwen. De lift zou misschien niets meer opleveren, maar ze moesten nog steeds het moordwapen vinden en op plekken kijken waaraan ze nog niet hadden gedacht.

Mac ging rechtop zitten omdat zijn rug pijn deed en stelde zich voor hoe die mevrouw Rojas haar kinderen had vermoord en haar eigen keel had doorgesneden. Hij had er geen levendig beeld van, maar wel van Juan Vucetich op het moment dat hij die vingerafdruk vond.

Het was een moment in de forensische geschiedenis dat Mac Taylor graag had bijgewoond.

'Geen probleem,' zei de man die koffie zat te drinken aan de bar van Woo Ching's op Second Avenue.

Zijn loempia's, waar hij twee happen van had genomen, stonden voor hem. Hij had geen honger. Aan zijn rechterkant zat een vrouw met kort, platinablond haar, niet oud en niet jong, die eens knap was geweest en er nu ook nog goed uitzag. Ze was slank, goed verzorgd en ze droeg een met bont gevoerd, leren jasje en een bonthoed. Ze had een paar slokjes genomen van de groene thee die ze had besteld.

Het was elf uur op een zondagmorgen, te koud voor toevallige passanten, behalve een paar mensen die even warm wilden worden met een kop koffie of thee en een kom wontonsoep of een bord foeyonghai.

De enige andere klanten waren drie vrouwen aan een tafeltje bij het raam.

De man had niet geweten wie er met hem zou komen praten, alleen dat hij naar Woo Ching's moest gaan zodra hij weg kon komen en daar iets te eten moest bestellen. Geen telefoon. Toen ze binnenkwam, had hij haar herkend.

'Details,' zei ze, terwijl ze haar handen warmde aan het kopje en het kommetje gebakken noedels voor haar negeerde.

Hij glimlachte en schudde zijn hoofd. Er lag geen vrolijkheid in zijn glimlach.

'Wat is er zo leuk?' vroeg ze.

Geen van hen had de ander direct aangekeken en dat zouden ze de rest van het gesprek ook niet doen. Ze was vijf minuten nadat hij iets had besteld binnengekomen, was naast hem gaan zitten en had haar thee besteld.

'Sneeuw,' zei de man.

'Wat is er zo leuk aan sneeuw?' vroeg ze met een blik op haar horloge.

Hij legde uit dat de sneeuw een probleem schiep waarop ze niet bedacht waren geweest.

'Maar het komt wel goed?' vroeg ze nadrukkelijk.

'Het komt goed,' zei hij. Hij trok zijn gebakken rijst met varkensvlees naar zich toe, veranderde van gedachte en nam nog een hap van zijn loempia. 'De rest van het geld.'

'Hier,' zei ze. Ze haalde een dikke envelop uit haar tas en schoof die naar hem toe. Hij duwde de envelop naar de rand van de bar, stopte hem in zijn jaszak en nam een slok thee.

Ze hoefde hem niet te vertellen wat hij moest doen als er iets verkeerd ging of hij een waarschuwing moest laten uitgaan. Hij was een beroeps en alles stond voor hem op het spel, zijn leven en de veiligheid van zijn familie.

Ze stond op, haalde een paar bankbiljetten uit haar jaszak, koos een biljet van vijf dollar, liet het naast haar kopje vallen en liep naar de deur. De man keek haar niet na. Hij wachtte tot hij de deur dicht hoorde gaan en keek toen snel om, waarbij hij deed alsof hij naar de vrouwen bij het raam en het verkeer op straat keek. Toen hij zich ervan overtuigd had dat hij niet in de gaten werd gehouden, voelde hij plotseling dat hij toch honger had. Hij at snel en met grote happen zijn loempia's op en genoot van de smaak, ook al waren ze een beetje slap geworden.

Aan de overkant van de straat moest de man in de auto met getinte ramen beslissen of hij de vrouw zou volgen of bij de man aan de bar in het Chinese restaurant zou blijven. Hij koos voor de vrouw. De man wist hij later wel weer te vinden.

Hij deed zijn zonneklep naar beneden, stapte uit de auto, sloot hem af en ging achter de vrouw aan, die langzaam, met opgeslagen kraag en de handen in haar zakken wegliep.

Hij dacht dat ze wel op weg zou zijn naar het metrostation op 86th Street. Hij had gelijk.

Hij wist ook zeker dat de man die ze bij Woo Ching's had ontmoet en aan wie ze iets had gegeven iets te maken had met de moord van die morgen. Hij wilde erachter komen hoe de vork in de steel zat voordat mensen anderen de schuld gingen geven, hem bijvoorbeeld.

Hij knoopte zijn jas dicht, zette zijn oorwarmers op en volgde de vrouw door de straat.

Stella stond neer te kijken op dertig nieuwe stukken metalen ketting van dertig centimeter lang die op tafel lagen, naast het houten stuk kozijn dat was verwijderd uit de hotelkamer boven de kamer waarin Alberta Spanio was vermoord.

Mac keek met over elkaar geslagen armen ook naar de kettingen. Naast hem stond Danny.

'Kan het geen kabel geweest zijn?' vroeg Mac, wijzend naar de groef in het hout. Hij pakte een vergrootglas.

'Kijk maar eens goed,' zei ze.

Nu was het haar beurt om haar armen over elkaar te slaan.

'Zie je?' vroeg ze.

Mac bekeek de groef zorgvuldig en knikte.

'Een kabel zou een gladdere groef hebben achtergelaten, netter en schoner,' zei Stella. 'De groef is honderdzevenentwintig millimeter breed. Zo breed zijn deze kettingen ook allemaal.'

Mac kwam overeind en keek haar aan.

'Als de moordenaar aan een ketting van honderdzevenentwintig millimeter naar het badkamerraam is afgedaald, moet hij of zij wel heel licht zijn,' zei Stella.

'Of heel dapper,' zei Danny.

'Of stom of wanhopig,' zei Stella. 'En hij of zij zou door het badkamerraam moeten hebben gezwaaid zonder de sneeuw aan te raken. Gegeven de afmetingen van het open raam moet het een supermodel zijn geweest.'

'Of een kind,' zei Mac.

Stella haalde haar schouders op en vroeg zich af hoe klein de man was die bij Stevie Guista was geweest toen hij zijn kamer in het Brevard had geboekt.

'Dan blijft er nog een grote vraag over,' zei hij. 'Wie hield in de kamer de ketting vast?'

'Hij was niet in de vloer vastgeschroefd of aan het meubilair vastgemaakt,' zei Mac, die een van de kettingen oppakte.

'Nee. Danny heeft het hele vloerkleed weggehaald. Geen gaten. Geen sporen van een ketting of andere krassen op het meubilair,' zei ze.

'Dus degene in de kamer heeft de ketting vastgehouden.'

'Of om zich heen gebonden,' voegde Stella eraan toe.

'Toch zou er een sterke persoon voor nodig zijn geweest om iemand naar beneden te laten zakken en hem vast te houden terwijl die iemand door het badkamerraam zwaaide,' zei hij.

'Ik heb de sterkste kettingen getest die passen bij de groef op het raamkozijn,' zei ze. 'Zelfs iemand van veertig kilo aan het eind van de ketting zou hem waarschijnlijk laten breken, vooral als hij door een kleine ruimte moest zwaaien.'

'Het lijkt wel een circustoer,' zei Mac.

'Vind je?'

'Nee,' zei hij. 'De database. Controleren op hoogte en gewicht.'

'Kunnen we dat?' vroeg Danny.

'Jazeker,' zei Mac.

'Kun jij je voorstellen dat een man of een jongen stom genoeg is om zich tijdens een sneeuwstorm aan een ketting uit een raam op de

zevende verdieping te laten zakken?' vroeg Danny. 'Die moet wel ontzettend stom zijn, of ontzettend dapper.'
'En hij moest een heleboel vertrouwen hebben in degene die de ketting vasthield,' voegde Mac eraan toe.
'Hoe zit het met dat gat in het hout onder aan het badkamerraam?' vroeg Stella. 'Dat komt niet van een ketting. Het komt van een grote schroef.'
'Nou,' zei Mac, 'wat hebben we verder?'
'Een vingerafdruk van Steven Guista,' zei ze. 'Ook bekend als Big Stevie.'
'Heb je zijn adres?'
'Misschien is hij wel aan het feesten,' zei ze en ze overhandigde Mac een faxblad met de foto en het strafblad van Big Stevie erop. 'Hij is vandaag jarig.'
'Ik vraag me af waar hij gisteravond aan het feesten was,' zei Mac. 'Laten we hem een cadeautje gaan bezorgen.'

Het voelde verkeerd. Punt uit. Rechercheur Don Flack voelde het. Geen bewijs. Gewoon instinct. Hij had de deur naar de slaapkamer waarin Alberta Spanio was vermoord gecontroleerd. Hij had het kamermeisje gevraagd de kamer in te gaan en te gillen nadat hij de deur dicht had gedaan. Het kamermeisje, Rosa Martinez, was Mexicaans, een legale immigrant. Ze wilde de kamer niet in waar uren eerder een vrouw was gestorven.
'Je doet de deur niet op slot?' vroeg ze.
Nog terwijl ze het vroeg, wist ze het antwoord. De deur kon alleen van binnenuit op slot worden gedaan.
Rosa ging de kamer in, sloot de deur en gilde. Toen deed ze de deur weer open.
'Ga naar het bed, blijf naast het bed staan en gil nog eens,' zei hij. Ze wilde absoluut niet naar het bed waarin de vrouw was gestorven, maar ze deed het toch en Flack sloot de deur. Ze gilde nog eens en haastte zich toen om de deur weer open te doen en de andere kamer in te gaan.
'Goed?' vroeg ze.
'Nog één keer,' zei Flack. 'Ga de badkamer in. Doe het raam open

en dicht en gil.'

'Ben ik dan klaar?' vroeg ze.

'Dan ben je klaar,' zei hij.

Rosa ging weer naar binnen, deed de deur dicht, ging naar de badkamer en zette het raam open. Toen gilde ze één keer, deed het raam weer dicht en haastte zich door de slaapkamer naar de kamer waarin de rechercheur stond te wachten.

'Goed,' zei hij. 'Bedankt.'

Rosa ging snel weg.

De eerste keer dat ze had gegild, had Flack haar gehoord, maar zwakjes. De tweede gil van naast het bed was nog zwakker geweest en hij had noch de gil uit de badkamer, noch het openen en het sluiten van het raam gehoord.

Hij haalde zijn mobieltje voor de dag en belde Stella.

Ze hadden nieuws voor elkaar.

7

Aiden Burn kwam het lab binnen toen Mac en Stella ongeveer vijf minuten weg waren. Ze had het hele lab voor zichzelf. De koelkast in de hoek bromde en door de gesloten glazen deur zag ze alleen een lege gang.

Ze zette haar koffertje neer, pakte er voorzichtig uit wat ze nodig had, zette het naast de microscoop en ging een kop koffie halen. Ze kon goede koffie krijgen bij Adelson van vuurwapens, maar dan moest ze minstens vijf minuten beleefd naar zijn flauwe grappen luisteren. Ze koos voor de automaat. Met een heleboel melk en een van de pakjes Stevia in haar tas was de koffie wel te drinken. Ze nam hem mee naar de tafel in het lab en zette hem zorgvuldig een eindje van de plek waar ze aan het werk ging. Geen gemors. Ze ging er wel even naartoe als ze een slokje wilde.

Ze wilde allereerst naar het schrijfmachinelint uit Lutnikovs flat kijken, wat ze deed door het ding op een ingebouwde lichtbox in de tafel te leggen.

Ze nam een slokje koffie. Hij was nog warm, maar niet heet.

Langzaam en voorzichtig rolde Aiden het lint weer op. Het kostte haar nog geen vijf minuten om bij het begin te komen. Ze legde het lint plat en begon het langzaam weer af te winden, terwijl ze de woorden las die met duidelijke afdrukken op het zwarte lint te zien waren.

... de derde deur, de laatste, de enige die over was. Hij, het, moest zich achter die deur bevinden. Peggy kon twee dingen doen. Wegrennen of met de pook in haar hand die laatste deur openmaken. Het was bijna donker, maar niet helemaal. Er kwam wat licht door het raam in de gang van het huisje. Ze had geen idee hoe licht het in de kamer zou zijn. Maar ze had een heel goed idee van wat ze er zou aantreffen, een moordenaar, de persoon die op brute wijze drie jonge vrouwen en een homofiele travestiet in stukken had gesneden. De moordenaar zou zijn gereedschap in de hand hebben, een heel scherp mes of een scalpel. De moordenaar zou achter de deur staan, klaar om haar aan te vallen. Peggy wist dat ze de pook kon gebruiken. Ze hoefde alleen maar te denken aan de foto's die ze haar hadden laten zien van de slachtoffers, vooral die van haar eigen nichtje Jennifer. Met de pook geheven in haar rechterhand pakte Peggy de deurknop. Ze kon zich nog steeds omdraaien en wegrennen, maar als ze dat deed, zou de moordenaar die bekend stond als de Slager ontkomen en kon hij weer iemand vermoorden. Het had geen zin zachtjes te doen. Hij wist dat ze in het huis was en had beslist haar voetstappen op de houten vloer gehoord. Peggy draaide de knop om en duwde de deur open.

Toen ze wilde slaan, schoot er een hand naar voren die haar pols pakte.

'Hij is dood, Peggy,' zei Ted en hij liet haar pols weer los. Zijn gezicht bloedde uit een snee boven zijn rechteroog. Ze liet de pook op de vloer vallen en viel hem in de armen.

Einde

Ze keek op en nam nog een slok koffie, die nu lauw was. Toen pakte ze de telefoon om Mac te bellen. Er was nog een heel stuk lint te lezen. Mac nam op toen de telefoon voor de tweede keer was overgegaan.

'Ja,' zei hij.

Ze legde uit wat ze had gevonden en hij zei: 'Laat het maar op de computer zetten en leg een uitdraai op mijn bureau. Dan pik ik die later wel op.'

'Ik ga naar de bibliotheek,' zei ze.

Ze hing op.

Stella en Mac waren net voor drieën in de flat van Steven Guista. Ze hadden broodjes gehaald bij een broodjeszaak op de hoek en die in de auto onderweg naar Brooklyn opgegeten. Mac had kipsalade. Stella eisalade.

'Hebben we gisteren niet precies hetzelfde gehad voor de lunch?' zei ze.

Hij reed.

'Ja,' zei hij. 'Hoezo?'

'Verandering van spijs doet eten,' zei ze en ze nam een hapje van haar broodje.

'We krijgen verandering genoeg,' zei hij.

Mac dacht eraan dat zijn vrouw van kipsalade had gehouden, daarom at hij het waarschijnlijk. De smaak en de geur herinnerden hem aan haar. Het was alsof hij zijn papillen aanspoorde om de herinnering op te roepen, hoewel hij er geen groot genoegen in schepte. Hij at al weken niet goed. Voor vanavond was hij half-en-half van plan een paar kosjere hotdogs en een grote cola light te halen. Over een paar dagen was het zover. Naarmate de datum dichterbij kwam, voelde Mac Taylor hem steeds dieper in zijn hart. De hemel was donker en hij had het idee dat er nog meer sneeuw kwam. Hij zou eens naar het weerbericht kijken als hij thuis was. Even dacht hij erover Arthur Greenberg te bellen, maar hij besloot het niet te doen.

Mac klopte op de deur van flat 4G in het vooroorlogse, bakstenen gebouw van drie verdiepingen. De gang was donker, maar redelijk schoon.

Er werd niet opengedaan.

'Steven Guista,' zei Mac. 'Politie. Doe open.'

Niets.

Mac klopte nog eens. De deur aan de overkant ging open. Een magere vrouw van in de vijftig verscheen in de deuropening. Haar haar was donker en kroesde en ze droeg een serveersteruniform en een jas over haar arm. Naast haar stond een meisje, duidelijk haar dochter en net zo ernstig. Ze kon niet ouder dan elf zijn.

'Hij is er niet,' zei de vrouw.

Mac liet zijn penning zien en zei: 'Wanneer hebt u hem voor het laatst gezien?'

'Gisteren, ergens in de ochtend,' zei de vrouw met een schouderophalen.

'Hij is de hele nacht niet thuis geweest,' zei het meisje.

71

De moeder keek naar haar dochter en maakte met die blik duidelijk dat ze de politie zo min mogelijk informatie moest geven. Het meisje leek het niet te zien.

'Hij komt om tien uur altijd even bij me kijken,' zei het meisje. 'Gisteravond is hij niet geweest en vanmorgen ook niet.'

'Ik heb avonddiensten en soms ook nachtdiensten,' zei de vrouw. 'Steve is zo goed om Lilly in de gaten te houden.'

'Soms kijken we samen televisie,' zei Lilly. 'Soms.'

'Heeft hij iets gezegd over een feestje of dat hij vandaag naar familie of vrienden ging?' vroeg Stella.

Zowel het meisje als de vrouw leek zich te verbazen over de vraag.

'Hij is vandaag jarig,' zei Mac.

'Dat heeft hij ons niet verteld,' zei de vrouw. 'Anders had ik een taart voor hem gebakken. Misschien moet ik even een cadeautje gaan kopen. Steve is heel aardig voor ons, vooral voor Lilly.'

'Hij ziet er eng uit,' zei het meisje, 'maar hij is heel aardig.'

'Dat zal best,' zei Stella, die aan het strafblad van Stevie Guista dacht.

'Ik moet weg,' zei de vrouw en ze gaf haar dochter een kus op haar voorhoofd.

'Doe de deur op slot,' zei de vrouw.

'Dat doe ik altijd,' zei Lilly.

De moeder glimlachte en wendde zich weer tot de twee CSI'ers.

'Moeten we Steve vertellen dat u hem zoekt?'

Mac haalde een kaartje uit zijn zak en gaf het aan de vrouw, die het aan haar dochter gaf.

'Heeft hij iets gedaan?' vroeg het meisje.

'We willen alleen met hem praten,' zei Stella.

'Waarover?' vroeg Lilly.

Moord, dacht Mac, maar hij zei: 'Hij was misschien getuige van een misdaad.'

'Wat voor soort…' begon het meisje, maar haar moeder onderbrak haar.

'Lill, tijd om naar binnen te gaan. Ik moet weg.'

Het meisje zei Stella en Mac gedag, ging naar binnen en deed de deur op slot.

Toen de deur dicht was, zei de vrouw: 'Ik weet van zijn verleden. Maar Steve is nu een goede man.'

Mac knikte en gaf haar een tweede kaartje. 'Geef dat alstublieft aan hem als u hem ziet en vraag of hij ons even wil bellen.'

De vrouw nam het kaartje aan, keek erop en deed het in haar jaszak.

De vrouw met het platinablonde haar en de bontmuts nam op 86th Street lijn zes en de man volgde in het rijtuig achter dat van haar. Door het weer was het die middag drukker dan normaal, wat de man prima vond. Hij kon door het raam tussen de twee rijtuigen de vrouw bij een stalen paal zien staan. Ondanks haar opeengeperste lippen was het een knappe vrouw. De man dacht aan haar manier van bewegen te zien dat ze ouder was dan ze eruitzag en dat haar uiterlijk waarschijnlijk had geprofiteerd van plastische chirurgie.

Hij was een getrainde, ervaren observator en hij was erop uit om zijn baan en zijn reputatie te redden. Hij zou haar niet uit het oog verliezen. De man had haar bij Woo Ching's iets aan de man naast haar zien geven. Hij was te ver weg geweest om te weten wat het was. Maar de ene draad stond in verbinding met de andere en nu volgde hij die van de vrouw. Hij hoopte dat die aan de andere kant aan iemand anders vast bleek te zitten. Als hij geluk had, was dat het eind van de lijn. Zo niet, dan zou hij weer een ander draadje moeten volgen. Hij moest zichzelf voorhouden geduld te hebben, hoewel geduld nooit een van zijn deugden was geweest.

Toen ze bij Castle Hill in de Bronx uitstapte, bleef hij ver genoeg achter haar om er zeker van te kunnen zijn dat hij niet gezien zou worden. Hij had inmiddels een idee waar ze naartoe ging. Hij glimlachte bijna tevreden. Bijna, want het was te vroeg om tevreden te zijn.

De vrouw ging een groot, bakstenen gebouw van één verdieping in dat in een halve eeuw bijna zwart was geworden en waarop nog slechts een veeg van de oude, vuilgele verf te zien was.

Toen de vrouw door de deur verdwenen was, kwam de man naar voren. Hij wist waar ze heen ging, wie ze ging opzoeken. Hij moest er getuige van zijn om de draad te kunnen afbinden.

Hij ging door de houten deuren naar binnen en stond in een donkere gang met deuren aan beide zijden. De heerlijke geur die er hing was volgens hem afkomstig van vers brood en herinnerde hem aan een moment toen hij nog een kind was, tijdens een vakantie of zo, waarop het ook zo had geroken.

De vrouw was nergens te zien. Hij liep verder en bedacht ondertussen een smoes. Tegen zijn borstkas voelde hij het geruststellende gewicht van zijn wapen in de holster onder zijn arm.

Toen gebeurde het. Geen tijd om zijn pistool te trekken. Geen tijd om iets anders te doen dan de arm vastpakken van degene die de open deur van een donkere kamer uit was gekomen en zijn dikke onderarm om zijn keel had geslagen. Toen de man zijn hand onder zijn jasje stak, sloeg de grote man die hem liet stikken de hand weg en gaf hij nog een laatste, nekbrekende ruk.

Het lichaam van rechercheur Cliff Collier zakte op de vloer. De moordenaar keek om zich heen en tilde toen met gemak de negentig kilo dood gewicht op. Hij droeg de dode man naar het donkere kantoor, duwde de deur dicht en ging naar het raam.

Hij maakte het open en keek om zich heen. Hij hoefde eigenlijk niet te kijken. Hij wist dat het steegje leeg was en dat alleen de kleine bestelwagen daar stond met open deuren.

Hij liet het lichaam in een hoop sneeuw vallen, klom erachteraan en deed het raam achter zich dicht. Toen hij het lijk door de open achterdeuren in de bestelwagen tilde, kreeg hij de holster met het pistool in het oog en dat zorgde ervoor dat hij de portefeuille van de dode pakte.

Het was een politieman. Ze hadden hem niet verteld dat hij een agent zou vermoorden. Niet dat het echt verschil maakte, maar even had hij het gevoel dat het juist zou zijn geweest om hem te vertellen dat hij een agent ging vermoorden.

Hij deed de deuren dicht en stapte achter het stuur.

Big Stevie had nooit eerder een agent vermoord. Hij had er geen spijt van, niet echt, maar het zou attent zijn geweest als het hem verteld was. Hij reed langzaam het steegje uit en probeerde te bedenken waar hij het lichaam zou laten.

Mac had het aan Stella en Don overgelaten om Big Stevie op te sporen en ging zo snel als het weer en het verkeer hem toestonden naar het dure appartementengebouw waar Charles Lutnikov was vermoord.

Aiden had hem gebeld nadat ze het schrijfmachinelint naar de typekamer had gestuurd, zodat de tekst kon worden uitgetypt. Ze wist dat het eerder af zou zijn als Mac even belde, maar het zou toch even duren, misschien een dag of meer, tot ze een diskette had met de inhoud van het schrijfmachinelint erop. Mac had naar het kantoor gebeld en de kantoormanager verzekerd dat het dringend was.

Aiden stond in de hal op hem te wachten. Hij stampte de sneeuw van zijn laarzen voordat hij binnenkwam en kreeg een dankbaar knikje van Aaron McGee, de portier.

'De mensen stellen een heleboel vragen,' zei McGee. 'Ik heb geen echte antwoorden. Wat moet ik tegen ze zeggen?'

'Zo weinig mogelijk,' zei Mac.

'Dat zei de dame ook al,' zei McGee met een knikje naar Aiden, die naast haar sporenkoffertje stond. 'Niet dat ik veel weet.'

Aiden ging hem voor naar de lift. Er hing nog steeds politietape voor de open deur. Ze doken eronderdoor en Mac keek naar Aiden, die zei: 'Elke vierkante centimeter is bepoederd. Afdrukken van bijna iedereen in dit deel van het gebouw.'

Mac duwde op de knop die de lift naar het penthouse stuurde. Terwijl de lift omhoogging, bekeek Mac op zijn knieën de dunne metalen strip aan de voorkant van de lift. Er was een kleine kier van misschien een centimeter tussen de rand van de lift en de deur van elke verdieping. Hij keek op.

'Het is mogelijk,' zei Aiden, die wist waar hij heen wilde.

'Ik ga wel met je mee,' zei Mac.

Ze hadden allebei vreemdere dingen gezien dan een afgeschoten kogel die in een kleine ruimte terechtkwam en verloren ging of vast kwam te zitten.

Het werd een smerig karweitje.

Aiden onderdrukte een zucht en verlangde naar een kop koffie. De lift kwam langzaam tot stilstand op de bovenste verdieping en de deuren gingen zachtjes open.

Mac liep naar voren en gebruikte de klopper.

Zowel Aiden en Mac voelden dat er iemand door het kijkglaasje in de deur naar hen stond te kijken. De deur ging open.

'Hebben jullie hem al te pakken?' vroeg Louisa Cormier. 'De man die die arme meneer Lutnikov heeft doodgeschoten?'

'Het kan ook een vrouw zijn geweest,' zei Aiden.

'Natuurlijk,' zei Louisa Cormier glimlachend. 'Dat had ik ook moeten zeggen. Komt u alstublieft binnen.'

Ze deed een stap achteruit.

De vrouw was niet zo modieus en chic gekleed als eerder. Haar kapsel was bijna perfect, maar een paar van de zorgvuldige krulletjes zaten niet helemaal op hun plaats en ze keek moe uit haar ogen. Ze droeg een designerjeans en een witte, kasjmier trui, waarvan de opgerolde mouwen een met juwelen bezet horloge lieten zien.

'Alstublieft,' zei ze met een glimlach die volmaakt witte tanden onthulde. Ze wees met haar handpalm naar boven naar een kleine houten tafel bij het raam. Er stonden drie stoelen omheen, allemaal met een panoramisch uitzicht over de stad.

'Koffie? Thee?' vroeg ze.

'Koffie,' zei Aiden. 'Dank u.'

'Melk? Suiker?'

'Nee,' zei Aiden.

'Koud water,' zei Mac.

'Ik heb Ann een paar dagen vrij gegeven,' zei ze toen de twee rechercheurs zaten. 'Ze was natuurlijk erg van streek door de moord. Ik ga even koffie halen. Er staat net een verse pot op. Eerlijk gezegd denk ik dat ze hier niet meer durft te komen tot de moordenaar is gepakt. Ann is goud waard. Ik raak haar niet graag kwijt.'

Louisa Cormier haastte zich de kamer uit.

'Nog iets over de moord op Alberta Spanio?' vroeg Aiden.

'Er is altijd iets,' zei Mac met een blik uit het raam.

Monet had Londen helder en vol lichtjes, vol mistbanken en nat van de regen geschilderd, dacht hij. Had hij ooit New York gedaan? Wat zou Monet hebben gezien als hij op deze dag uit dit raam had gekeken?

Voordat Louisa Cormier terugkwam, vertelde Aiden Mac dat ze Lutnikovs flat nog eens had doorzocht.

'Geen spoor dat hij ook fictie schreef,' zei ze. 'Geen manuscripten, geen bladzijden in laden, alleen wat op het schrijfmachinelint staat.'

Mac knikte. Zijn hersenen namen op wat hem verteld werd, maar hij was met zijn gedachten bij de daken aan de grijze horizon.

Louisa Cormier kwam terug met de koffie en een glas ijswater. Voor zichzelf had ze niets bij zich. Ze nam een stoel en ging met haar hand door haar haren.

'Het is laat geworden,' zei ze. 'De deadline nadert voor een nieuw boek met Pat Fantome.'

'Als u een paar van mijn boeken leest, zult u zien dat ik totaal niet op Pat lijk als ik niet aan het schrijven ben. Ik laat Pat in mijn werkkamer achter als ik opsta van mijn computer en ben overal Louisa Cormier, tenzij ik een signeersessie heb of een lezing moet houden. Dan denk ik dat ik een heleboel door Pat Fantome laat overnemen. Ik ben Pat dankbaar, maar ze is moeilijk om mee te leven, zo gedreven. Terwijl ik…' Ze deed de rest van de zin af met een handgebaar.

Aiden nam een slokje koffie. Hij was heet, lekker, apart. Mac liet het water in zijn glas ronddraaien en keek naar de ijsblokjes.

'Nee, nee,' zei Louisa lachend toen ze hun gezichten zag. 'Ik ben niet gek. Pat Fantome bestaat niet, niet echt. Het is gewoon een denktrant die ik aanneem als ik aan het schrijven ben. Er zijn een paar overeenkomsten tussen Pat en mij, maar er zijn veel meer verschillen. Maar u bent niet gekomen om over mij of over Pat te praten. U hebt vragen over die arme meneer Lutnikov.'

Mac nam eindelijk een slokje water. Het duurde even totdat hij iets zei.

'Hebt u een pistool?' vroeg hij.

Louisa Cormier keek verrast en legde haar rechterhand tegen een dunne, gouden band om haar hals.

'Eh… ja,' zei ze. 'Een Walther. Hij ligt in de werkkamer in mijn bureau. Wilt u het zien?'

'Alstublieft,' zei Mac.

'Verdenkt u mij ervan dat ik meneer Lutnikov heb vermoord?' vroeg ze geamuseerd.

'We contoleren iedereen die de lift gebruikt,' zei Aiden.

'Wat kan een detectiveschrijfster meer verlangen dan dat het materiaal zichzelf aandient?' zei de vrouw. 'Ik zal het halen.'

Louisa Cormier had nu duidelijk belangstelling gekregen en haastte zich naar de dichte deur van haar werkkamer.

Macs telefoon ging. Hij nam op en luisterde even voordat hij zei: 'Ik kom zo snel mogelijk. Een halfuur.'

Hij hing op toen Louisa Cormier uit de werkkamer kwam met het pistool in haar hand. Ze stak Mac het wapen toe, maar hij zei dat ze het op tafel moest leggen.

'Ik heb ergens een vergunning,' zei Louisa. 'Ann kan hem wel vinden als...'

'Ik denk niet dat dat nodig is,' zei Mac.

Aiden deed een schoon paar handschoenen aan en pakte het wapen. Louisa Cormier keek gefascineerd toe. Toen ze het wapen had bekeken, zei Aiden: 'Het is een Walther P22 met een driekwart inch loop. Niet onlangs mee geschoten.'

'Ik geloof niet dat er ooit mee geschoten is,' zei Louisa. 'Hij ligt alleen in die la op verzoek van mijn agent, die me volgens mij heel graag mag, maar die nog meer van haar vijftien procent houdt.'

'Een paar vragen,' zei Mac toen Aiden het pistool had teruggegeven aan Louisa Cormier nadat ze het magazijn had bekeken, dat inderdaad vol was. Louisa legde het wapen op tafel en boog gretig naar voren, met haar handen in haar schoot.

'Bent u ooit in de flat van Charles Lutnikov geweest?' vroeg Mac.

'Nee,' zei Louisa. 'Even denken. Nee, ik geloof het niet.'

'Is hij ooit in dit appartement geweest?' vroeg Mac.

'Een paar keer. Als er een nieuw boek van mij uitkomt, komt hij, of moet ik zeggen kwam hij nogal verlegen naar boven en vroeg hij om een handtekening.'

'Agent Burn heeft uw boeken gevonden in de flat van meneer Lutnikov,' zei Mac. 'Ze waren niet gelezen.'

'Dat verbaast me niets,' zei ze. 'Hij was een verzamelaar. Gesigneerde, ongelezen eerste edities. Hij kocht een ander exemplaar om te lezen. Daar was hij heel open in.'

'We hebben geen andere exemplaren van uw boeken in zijn flat gevonden,' zei Aiden.

'Als hij ze gelezen had, gaf hij ze aan andere huurders. Hij had tenslotte zijn onaangeroerde eerste edities. Mijn god. Dit is fascinerend.'

'Heeft Lutnikov u ooit iets van zijn eigen werk laten lezen?' vroeg Mac.

'Zijn werk? Ik geloof dat hij teksten schreef voor catalogi. Waarom zou hij dat in godsnaam aan mij laten zien?'

'Geen fictie?' vroeg Aiden. 'Korte verhalen? Gedichten?'

'Nee. En om u de waarheid te zeggen, zou ik hem in dat geval beleefd hebben verteld dat ik het veel te druk had om zijn werk te lezen en dat ik zelden fictie lees, zelfs niet dat van mijn beste vrienden. Als hij had aangedrongen, zoals sommige mensen wel eens doen, zou ik hem hebben gezegd dat mijn agent en uitgever me hadden verteld dat ik nooit ongepubliceerde manuscripten mag lezen, omdat ik later kan worden beschuldigd van plagiaat. Het zou u verbazen hoeveel rechtszaken er zonder enige grond tegen me worden aangespannen. Daarom draag ik behoorlijk bij aan een lobby voor het tegengaan van onrechtmatige vervolging.'

'Werkt u momenteel ook aan een boek?' vroeg Mac.

'Ik had het een week geleden al af moeten hebben.'

'Schrijft u op de computer?' vroeg Mac.

'Ik ken schrijvers, zoals Dutch Leonard en Loren Estleman, die nog schrijfmachines gebruiken, maar ik begrijp niet waarom,' zei Louisa.

'Wat voor papier gebruikt u?' vroeg Aiden.

'Voor mijn printer?'

'Ja,' zei Aiden.

'Dat weet ik niet precies. Iets behoorlijks. Ann haalt het in een kantoorboekhandel op 44th Street.'

'Mag ik er een vel van hebben?' vroeg Mac.

'Een vel van mijn printpapier... Ja, natuurlijk. Is dat alles?'

'Ja,' zei Mac. 'Voorlopig zijn we klaar.'

Hij stond op en de twee vrouwen volgden zijn voorbeeld. Louisa ging met het pistool in haar rechterhand nog eens naar haar werkkamer en kwam terug met een paar vellen papier, die ze aan Mac gaf. Het pistool was weg.

'U moet weten dat ik mijn uitgever nooit een uitdraai van mijn boeken geef,' zei ze. 'Dat doe ik al ik weet niet hoe lang niet. Ik stuur het manuscript per e-mail op en zij draaien het uit en geven het aan de corrector.'

'Dus u hebt alle manuscripten op uw computer staan?' vroeg Mac.

Louisa Cormier keek hem vragend aan.

'Ja, op mijn hard drive. Ik heb ook een kopie op een floppydisk als back-up en die bewaar ik in mijn brandvrije kluis.'

'Dank u,' zei Mac. 'Nog een of twee laatste vragen. Hebt u nog een wapen?'

Louisa Cormier keek een beetje geamuseerd. 'Nee.'

'Hebt u ooit een wapen afgevuurd?'

'Ja, als onderdeel van mijn research. Mijn hoofdpersoon, Pat Fantome, is een ex-politieagente die heel goed kan schieten. Ik vind dat het helpt om te weten hoe het voelt om een wapen af te schieten. Ik ga vaak naar Drietchs schietbaan op 58th Street.'

'Dat vinden we wel,' zei Mac. 'Nog één vraag. Hebt u enig idee hoe Lutnikovs bloed op het vloerkleed voor uw liftdeur terecht is gekomen?'

'Nee. Ik word echt verdacht, nietwaar?' De mogelijkheid leek haar wel aan te spreken.

'Ja,' zei Mac, 'maar dat geldt voor al uw buren.'

'Bedankt voor de koffie,' zei Aiden, die haar sporenkoffertje oppakte.

'Kom gerust nog eens terug,' zei Louisa toen ze met hen naar de deur liep. 'Ik wil ontzettend graag weten hoe uw onderzoek vordert. Ik ga mijn agent bellen om het haar allemaal te vertellen.'

Toen ze weer in de lift stonden, zei Aiden: 'Kelder?'

'Je moet het alleen doen,' zei Mac. 'Stella heeft net Cliff Collier dood aangetroffen.'

'Collier? De agent die Alberta Spanio moest bewaken?'

'Gewurgd.'

'Waar?'

'Steegje in Chinatown.'

Aiden verbeet een zucht met een strak knikje. Ze zou alleen op zoek moeten gaan naar kogels. Ze was wel eens eerder onder in een lift-schacht geweest. Het was altijd interessant. Het was nooit aange-naam.

Mac keek naar de vellen papier in zijn hand.

Hij en Aiden dachten allebei hetzelfde.

'Huiszoekingsbevel?' vroeg ze.

Hij schudde zijn hoofd.

Louisa Cormier had gelogen. Dat wist zowel Aiden als Mac, maar ze wisten niet waarover ze had gelogen. Waarschijnlijk over de bloedsporen. Het kwam zelden voor dat een verdachte niet over iets loog, zelfs als hij volkomen onschuldig was.

'Niet genoeg bewijs,' zei hij.

'We kunnen het haar vriendelijk vragen,' zei Aiden.

'En zij kan even vriendelijk nee zeggen en haar advocaat bellen.'

'Dus?'

'We moeten meer bewijs hebben,' zei hij.

8

'Gebeurd?' vroeg de man.

'Gebeurd,' antwoordde Big Stevie Guista.

Big Stevie belde vanuit een bar in de straat waar ook Zabar's was. Hij had een winkeltas vol eten bij zich: worstjes, brood, kaas, waaronder een groot stuk gorgonzola, zijn favoriete smeersels, frisdrank en koekjes met poedersuiker.

Hij was van plan een verjaardagsfeestje te houden met Lilly, het meisje dat tegenover hem woonde. Haar moeder zou naar haar werk zijn.

Als Big Stevie ooit was getrouwd en kinderen had gehad, zouden zijn kleinkinderen ongeveer zo oud zijn als Lilly. Misschien. Ze was een prima kind. Hij zou met haar feesten en misschien wat tv-kijken. Morgen liet hij zich neuken. Hartelijk gefeliciteerd, Steven Guista. Je hoorde hem niet klagen.

'Mooi,' zei de stem aan de andere kant.

Zowel de man als Stevie wist wel beter dan nog meer te zeggen. Ze hingen op.

Stevies bestelwagen stond fout geparkeerd voor een brandweerkraan die net door een berg sneeuw heen stak. Er zat geen bon onder de ruitenwisser toen hij instapte. Die zat er nooit. De politie of andere mensen die de geparkeerde auto zagen, dachten meestal dat hij een bestelling aan het afleveren was en dat zou hij ook zeggen als iemand hem erop wees. Er waren niet veel mensen die Big Stevie ergens op wilden wijzen.

Stevie reed voorzichtig achteruit zijn parkeerplekje af en keek goed over zijn schouder, wat wel moeilijk was, omdat hij zo weinig nek had.

De bestelwagen was leeg en de rekken schoon. Hij had het lijk van de agent meer dan twee uur eerder in een steegje gedeponeerd. Er hing ook geen geur van de dood, alleen het vertrouwde, afnemende aroma van eens vers brood.

Stevie hield van die geur. Hij vond het nog lekkerder als het brood vers was. Alles bij elkaar hield Stevie van zijn werk.

Het lijk lag achter een afvalcontainer in een steegje achter Ming Lo's Dim Sum in Chinatown. De voormalige Cliff Collier lag op zijn rug, met zijn voeten recht naar voren, zijn armen ruw over zijn borst gevouwen en zijn hoofd in een vreemde hoek, alsof hij het bijna helemaal had omgedraaid.

Stella had wel tien keer bij Ming Lo's gegeten, altijd op zondagmorgen, altijd met een familielid dat naar New York was gekomen om iets van de stad te zien. De ingang van Ming Lo's, die zich aan de andere kant van het gebouw in Mott Street bevond, had felle neonverlichting en een brede roltrap achter de glazen deuren. Boven aan de roltrap was een enorme zaal vol tafeltjes. Chinese mannen en vrouwen reden karretjes met dim sum rond voor de klanten, bijna allemaal Chinezen, die hun keus maakten uit de tientallen variëteiten, die allemaal werden gegeten met eetstokjes of met de vingers. Stella's familieleden waren altijd zeer onder de indruk. Ze vroeg zich af wat ze zouden vinden van de aanblik van de dode man in de steeg.

'Dit is mijn werk,' zei ze in een gefantaseerd gesprek met een tante of een neef. 'Ik stel vragen aan dode mensen.'

De gedachte aan dim sum, waar ze anders altijd honger van kreeg, maakte haar nu enigszins misselijk. Haar maag protesteerde heftig.

Stella knielde naast het lijk. Danny had al foto's gemaakt van de dode man, de muur en de afvalcontainer.

Don Flack stond bij de achterdeur van Ming Lo's met de keukenmedewerker te praten die het lijk had gevonden. De duidelijk bange, dikke man antwoordde in het Chinees, dat vertaald werd door een jonge vrouw in een zijden jurk, die huiverde terwijl ze praatte.

Flack deed zijn jas uit en sloeg die om de schouders van de jonge vrouw. Ze knikte dankbaar. De dikke man praatte snel en opgewonden.

'Hij wist dat het geen dakloze was,' vertaalde de jonge vrouw. 'Hij is veel te goed gekleed en zijn haar is geknipt.'

Flack knikte, aantekenboekje in de hand.

'Heeft hij iets gezien of gehoord?' vroeg Flack.

De jonge vrouw vertaalde de vraag. De dikke man schudde nadrukkelijk zijn hoofd.

Flack keek naar het lijk. Hij had Collier gekend, niet zo goed, maar goed genoeg om elkaar bij de voornaam te noemen en naar elkaars gezin te kunnen vragen. Don herinnerde zich dat Collier niet getrouwd was, maar dat zijn moeder en vader in Queens woonden. Colliers vader was een gepensioneerd politieman.

Danny, Stella en Don roken het allemaal, een geur van warm, zoetzuur Chinees eten. Danny zou wel wat gebakken wonton lusten of iets anders dat er goed uitzag. Als ze buiten klaar waren, zou hij Stella voorstellen naar binnen te gaan om wat vragen te stellen en iets te eten.

Stella raakte voorzichtig de nek van de dode man aan en draaide het lichaam iets. De ruimte achter de afvalcontainer was klein, maar ze wist toch haar handstofzuigertje te pakken en het jasje, de nek en de haren van het slachtoffer ermee te zuigen.

Flack dacht niet aan Chinees eten. Niet dat hij er niet van hield, maar hij was helemaal geconcentreerd op de dode man.

'Bedankt,' zei hij tegen de jonge vrouw.

Ze hoefde het niet te vertalen. De dikke man wierp een blik op het lijk en ging haastig het restaurant weer binnen. Het meisje gaf Flack zijn jas terug. Hun blikken kruisten elkaar. Misschien was er iets te lezen in haar ogen, maar hij kon het er niet bij hebben, niet nu, niet hier, niet nu Collier daar lag.

Toen het meisje het restaurant weer in ging, draaide Flack zich om en zag hij Mac Taylor langzaam door de steeg komen, met zijn handen diep in zijn jaszakken.

Mac ging naast Danny staan en keek neer op het lijk en Stella die ernaast knielde. Macs lippen stonden strak en zijn blik ging door het smalle steegje.

'Gebroken nek,' zei Stella.

Ze draaide het lijk op zijn zij. De ruimte was krap en de dode man zwaar. Ze had om hulp kunnen vragen, maar ze wilde de plaats delict niet meer verontreinigen dan al gebeurd was.

'De sneeuw staat vol voetafdrukken,' zei Danny. 'Minstens zes ver-schillende mensen. Ik heb afdrukken gemaakt.'

Danny had eerst een wasspray gebruikt om de details van de afdrukken vast te leggen en de gevolgen van het smelten van de sneeuw tegen te gaan. Daarna had hij een afdruk van elke voetaf-druk gemaakt met een zakje gips dat hij vermengde met water, kneedde en rechtstreeks van het zakje in de voetafdruk goot. Hij had er wat zout bij gedaan om het gips sneller hard te laten worden.

'Nog bijzonder grote afdrukken?' vroeg Mac.

'Eén stel,' zei Danny. 'Een hele mooie daarginds.'

Danny wist waarom Mac naar grote afdrukken had gevraagd. Col-lier was ongeveer één meter vijfentachtig en woog bijna honderd kilo. Hij was bovendien goed in vorm en gespierd. Hawkes zou hem wegen om precies te weten hoe zwaar hij was.

Degene die Collier had vermoord, was sterker geweest en minstens zo groot als de rechercheur als hij het in zijn eentje had gedaan. Ook hierover kon Hawkes hun meer vertellen.

Danny wees naar drie voetsporen die naar de afvalcontainer lie-pen en toen naar twee andere van ongeveer dezelfde afmetingen die er vandaan liepen. De laatste waren niet zo diep als de sporen die ernaartoe gingen. De man die het lichaam van Collier daar had achtergelaten, had zijn gewicht niet meer op zijn schouders gehad.

'Maak een afdruk van de sporen die er vandaan lopen,' zei Mac. 'Meet de dichtheid van de sneeuw. We vinden wel een formule om te kunnen bewijzen dat hij Colliers lichaam droeg. Kijk in Colliers portefeuille wat zijn precieze gewicht was.'

Danny knikte. Het leed geen twijfel dat de voetafdrukken van de drager van Colliers lichaam waren, maar als het aankwam op bewij-zen die aan de rechtbank konden worden voorgelegd, wilde Mac alles gecontroleerd hebben.

Flack kwam bij Danny en Mac staan toekijken hoe Stella haar werk deed.

De vraag hoefde niet gesteld te worden, maar alle vier de leden van het CSI-team wisten hoe waarschijnlijk het was dat de moord op de rechercheur op de een of andere manier verband hield met de moord op Alberta Spanio, de vrouw die hij pas een paar uur geleden had moeten beschermen.

Stella stond op en deed haar handschoenen uit.

Mac zag waar de afvalcontainer was bepoederd om vingerafdrukken te zoeken. Er waren er een heleboel, maar het was niet waarschijnlijk dat er ook afdrukken bij waren van degene die Colliers lichaam hier had neergelegd.

'Hij is niet hier vermoord,' zei Stella.

Mac knikte.

'Geen voetafdrukken in de sneeuw achter het lichaam,' zei ze. 'Als hij was vermoord en omver was geduwd, zou hij omgedraaid moeten zijn. Daar is niets van te zien.'

'Geen sporen van een worsteling,' zei Mac.

'Ook dat niet,' zei Stella.

'We hebben voetafdrukken,' zei Danny.

Nu was het Stella's beurt om te knikken. Ze konden hier niets meer doen. De rest moest in het lab gebeuren.

Elk van hen had een theorie, die ze bij elk volgend stukje bewijs zouden opgeven of aanpassen.

Flacks eerste gedachte was dat Collier een spoor had gevonden naar de moordenaar van Alberta Spanio, het had gevolgd en door de moordenaar was opgemerkt.

Danny was van mening dat Collier iets kon hebben gezien of zich iets kon hebben herinnerd over de moord en dat aan de verkeerde persoon had verteld, of dat de moordenaar erachter was gekomen dat Collier iets wist dat zijn identiteit zou kunnen onthullen.

Stella dacht dat Collier misschien betrokken was bij de moord op Alberta Spanio en dat hij was vermoord om de moordenaar of moordenaars te beschermen.

'Ed Taxx,' zei Mac. 'Haal hem op. Hij zou op het lijstje van de moordenaar kunnen staan. Als Collier iets zag of wist en daarom is vermoord, zou Taxx hetzelfde kunnen weten.'

Flack knikte.

'En we moeten Stevie Guista vinden,' voegde Mac eraan toe. Hij keek even naar het lichaam en knikte tegen de ziekenbroeders die net gearriveerd waren.

Mac keek op zijn horloge.

'Heeft er iemand honger?' vroeg hij.

'Ja,' zei Danny, die in zijn handen wreef en met zijn voeten stampte, die in ijsklompen waren veranderd.

'Niet voor mij,' zei Stella.

Don schudde zijn hoofd en keek hoe de ziekenbroeders de afvalcontainer wegrolden en de dode man in een zwarte zak ritsten. Het kwartet verroerde zich niet. Ze keken zwijgend toe tot het lichaam een heel eind de steeg uit was. Mac zag drie gelukskoekjes in de sneeuw liggen, waar de afvalcontainer had gestaan. Hij knielde en raapte ze op.

Mac en zijn vrouw waren één keer bij Ming Lo's geweest. Toen hadden ze ook gelukskoekjes gehad. Hij wist niet meer wat erop had gestaan.

Na een paar seconden liet hij de ongeopende koekjes in de container vallen en zei tegen de anderen: 'Dim sum?'

Big Stevie klopte aan en wachtte tot Lilly zei: 'Wie is daar?'

'Ik ben het, Stevie,' zei hij.

Toen ze de deur had opengedaan, gaf hij haar de winkeltas van Zabar's. De zak was zo zwaar dat hij de vloer raakte.

'Ik ben jarig vandaag,' zei hij. 'Zullen we een feestje houden?'

Hij kwam binnen en deed de deur achter zich dicht.

'Ik wist dat je jarig was,' zei ze terwijl ze naar het keukentje liep en de heerlijkheden begon uit te pakken, genietend van het gevoel en de geur van wat er uit de tas kwam. 'Ik heb een cadeautje voor je gemaakt.'

Dat verraste en ontroerde Stevie. Het moest aan zijn gezicht te zien zijn.

'Het is niet veel bijzonders,' zei Lilly. 'Ik geef het als we gegeten hebben.'

Hij deed zijn jas en zijn schoenen uit, hing de jas op de stoel bij de deur en zette de schoenen op een mat naast de stoel.

'Zullen we het voor het eten doen?' vroeg hij en hij probeerde zich te herinneren wanneer hij voor het laatst een verjaarscadeautje gekregen had. Niet meer sinds hij een jochie was geweest.

'Goed,' zei Lilly, die het laatste pakje uit de tas haalde.

Ze ging naar de slaapkamer aan de linkerkant en kwam een paar seconden later terug met een pakje, dat onhandig verpakt was in gekreukt, rood papier met een roze lintje eromheen. Ze legde het pakje in zijn grote hand.

'Maak maar open,' zei ze.

Hij deed het voorzichtig, zonder het papier of het lint te scheuren. Het was een beestje op zakformaat. Lilly had het gemaakt van klei of zoiets en het wit geschilderd.

'Het is een hond,' zei ze. 'Ik wilde eigenlijk een paard maken, maar dat was te moeilijk. Vind je hem mooi?'

'Ja,' zei hij en hij zette de hond op de tafel.

Hij wiebelde, maar viel niet om.

'Mag ik hem een naam geven?' vroeg Lilly.

'Natuurlijk.

'Tommy, net als de hond van *Sesamstraat*.'

'Tommy,' zei hij. 'Dat klinkt ondeugend.'

'Ik denk dat dat ook de bedoeling is.'

'Nou,' zei hij, 'zullen we iets eten?'

Lilly pakte borden, messen, vorken, servetten en glazen.

'Hebben die mensen je nog te pakken gekregen?' vroeg ze terwijl ze een pakje met worst openmaakte.

'Welke mensen?' vroeg Stevie.

'Een man en een vrouw, toen mam naar haar werk ging.'

'Wie zeiden ze dat ze waren?' vroeg hij terwijl Lilly zorgvuldig een plakje worst op een broodje legde dat ze doormidden had gesneden.

'Ik denk dat ze van de politie waren,' zei ze. Ze gaf hem het broodje dat ze had belegd en toen het kaartje dat haar moeder haar had gegeven voordat ze wegging.

Stevie zweeg. Hij keek naar het kaartje van de technische recherche met de naam en het telefoonnummer van Mac Taylor erop en gaf het weer aan het meisje. Toen pakte hij het broodje en keek ernaar alsof het een onbekend voorwerp was.

'Ik geloof dat een van hen in je appartement op je zit te wachten,' zei ze, terwijl ze zich bezighield met haar eigen broodje.

Stevie deed het hondje in zijn zak en draaide zich om in zijn stoel om naar de deur te kijken, alsof hij er doorheen zijn eigen flat zou kunnen zien als hij zich maar genoeg inspande.

Stevie moest nadenken. Dat kostte tijd. Denken was niet een van zijn sterke punten. Hij nam een grote hap van het droge broodje. Hoewel het droog aandeed, was de smaak vertrouwd en bevredigend.

Jacob Laudano begon zich ernstige zorgen te maken. Het was allemaal te gemakkelijk geweest en nu was hij gebeld en had te horen gekregen wat hij moest zeggen als de politie bij hem kwam.

Waarom zou de politie bij hem komen? Goed, ze hadden een reden om hem te zoeken, maar daar wist hij wel een mouw aan te breien, tenzij ze hem wilden pakken. Ze hadden geen bewijs tegen hem. Dat kon niet.

Jacob 'de Jockey' Laudano was één meter zesenveertig lang en woog drieënveertig kilo, twee kilo meer dan toen hij nog races reed. De laatste keer dat hij op een paard had gezeten, was acht jaar geleden en hij had met succes het gewicht laag gehouden, eten op tafel gebracht, de huur betaald voor zijn tweekamerflat in East Side en ook nog iets overgehouden voor kleren en drinken.

Hij had geen geld nodig om een vrouw te krijgen, niet zoals Big Stevie. Er waren er niet veel die door Steves grote lijf geplet wilden worden of tegen zijn gezicht aan wilden kijken. Jake had juist een aantrekkingskracht die hij moeilijk te begrijpen vond, maar die hij zonder er verder bij na te denken aanvaardde. Hij wist dat het iets te maken had met zijn postuur. Hij zag er niet slecht uit, maar het gezicht dat hem iedere ochtend in de badkamerspiegel of de spiegel in Denny Kahn's Bar aankeek, was niet bepaald dat van Tom Cruise. Jake was een bleek ventje met een iets te scherpe neus en kleine ogen. Hij liep tegen de vijftig, maar kon voor jonger doorgaan. Zijn postuur weer.

Hij had nooit van paarden gehouden, behalve om op te wedden, en dat had hem ook in de problemen gebracht. Het was een tijdje goed gegaan. Hij had op zijn eigen races gewed en alle trucjes gebruikt om te zorgen dat de favoriet niet won. Het was een weinig gewaardeerd talent, in het bijzonder door de andere jockey's, die hem uiteindelijk hadden aangegeven.

Jake was op zijn zesentwintigste uitgerangeerd, maar had zijn lenig-heid en gebrek aan respect voor de wet aangewend in het traditionele familieberoep van inbreker.

Hij had het daarmee meer dan tien jaar prima gered, tot hij de pech had net in de onderste la van een kaptafel te zitten wroeten, waar mensen vaak dingen verborgen die klein waren en het meenemen waard, toen de deur van het appartement opeens openging.

Domme pech. Jake was naar het raam geschoten. De man was hem voor geweest, had hem de weg versperd en had hem harder in zijn borst gestompt dan hij ooit gestompt was of tijdens de twee jaar gevangenis gestompt zou worden.

De man bleek derde honkman voor de Mets. Weer die stomme pech.

Jake legde contacten in de bajes die leidden tot connecties toen hij eruit kwam, connecties die hem werk hadden bezorgd omdat hij er nog steeds verdomde goed in was in en uit plaatsen te komen waar de grote, dikke en vaak oude mensen die hem inhuurden geen toe-gang hadden. De eerste keer had hij voor een moord tienduizend dollar aangeboden gekregen en hij had gezegd: 'Prima.'

Hij had sinds die tijd nog drie andere moorden gepleegd, steeds voor het standaardloon van tienduizend dollar. Jake de Jockey had een reputatie. Hij probeerde nooit meer geld te krijgen, wie hij ook moest vermoorden.

Jake gaf de voorkeur aan een lang, scherp mes in de nek terwijl het doelwit sliep.

Hij stond in de spiegel zijn das te strikken en de knoop precies goed te trekken. Iemand had eens gezegd dat hij er altijd uitzag om door een ringetje te halen. Hij had opgezocht wat dat betekende en het stond hem wel aan.

De telefoon ging. Jake bleef aan zijn das prutsen terwijl hij de bad-kamer uit liep en opnam.

'Ja,' zei hij.

En toen luisterde hij.

'Ging prima,' zei Jake. 'Zoals ik je gezegd heb. Naar binnen en naar buiten. Geen vragen... Ja, ze hebben me gezien, maar niet mijn

gezicht… Doe ik, maar hij zal niet hierheen komen… Goed, goed, ik bel wel.'
De verbinding werd verbroken. Hij legde de telefoon weer neer en bleef er even naar staan kijken. Was er iets fout gegaan?

Het was donker in de liftschacht, maar Aiden had een grote zaklamp op zijn hoogste stand in een hoek op een metalen balk gelegd. Ze droeg handschoenen en had een pakje sporenzakjes boven op haar koffertje naast de zaklamp liggen. Er was niet zoveel viezigheid als ze had verwacht, maar genoeg om het een lastig karwei te maken.

Het was een uitdaging.

Er waren uit elkaar vallende kranten uit de jaren vijftig. Op een ervan stond het woord 'Ike' in het restant van de kop. Ze keek enveloppen door die allemaal oud waren en geen van alle bekende namen als adres of afzender hadden. Ze vond een verpakking van een Baby Ruth-reep, een verzameling schroeven, punaises en stukjes metaal. Er lagen ook nog twee dode ratten onder een niet te identificeren, vochtige massa in een hoek. Een van de ratten was al lang dood en niet veel meer dan een skelet. De ander was nog vochtig en rook maar al te sterk.

Ze bleef drie kwartier bezig en beëindigde haar zoektocht met een uitgedroogd condoom in een stukje aluminium. En dit was nou een chic flatgebouw in Manhattan.

Er lag geen kogel onder in de liftschacht. Daar was ze net zo zeker van als van het feit dat ze dringend onder de douche moest.

Ze maakte aanstalten uit de schacht in de kelder te klimmen. Met een knie op de betonvloer keek ze nog één keer achterom en liet het licht van haar zaklamp in alle hoeken vallen en omhoog naar de stilgezette lift, die ze had uitgezet voordat ze naar beneden ging. Op dat moment zag ze hem. De kogel, of wat ervan over was, lag donker en dof op een metalen balk. Hij was niet helemaal onder in de schacht gevallen.

Aiden klom met een pincet en een plastic zak de schacht weer in, nam drie foto's en pakte de kogel op.

9

Hawkes stond met Mac en Stella op het lichaam van Collier neer te kijken.

'De moordenaar was langer dan zijn slachtoffer,' zei Hawkes. 'Kijk maar naar de blauwe plekken.'

Hij wees naar de hals van de dode man.

'Hij is naar achteren en omhooggetrokken voor een hefboomeffect. De blauwe plekken beginnen bij de adamsappel en lopen van daar verder naar boven. Zoiets.'

Hawkes ging achter Mac staan en deed het voor. Mac voelde hoe Hawkes' losse greep naar boven schoof.

'Hij heeft zijn slachtoffer waarschijnlijk gewoon opgetild.'

Hawkes deed een stap achteruit en keek weer neer op het lijk.

'De dode man weegt vijfennegentig en een halve kilo en is één meter zevenentachtig,' zei Hawkes. 'De moordenaar is op zijn minst één meter vijfennegentig en misschien wel twee meter lang en heel sterk. Niks geen gehannes, gewoon van achteren een arm rond de nek en een krachtige, plotselinge ruk. Geen worsteling.'

'En?' vroeg Stella.

'De moordenaar is rechtshandig,' zei Hawkes. 'De grootste blauwe plekken en kneuzingen aan de slokdarm zitten bij het slachtoffer aan de rechterkant.'

'Dus als we een linkshandige reus vinden, is hij onschuldig?' vroeg Mac met een uitgestreken gezicht.

'Linkshandige reuzen doen niet mee,' stemde Hawkes toe.

'Hij heeft dit eerder gedaan,' zei Stella.

'Hij wist wat hij deed,' zei Hawkes. 'Houden jullie van opera?'

'Nooit eentje gezien,' zei Stella.

Mac had wel opera's gezien. Zijn vrouw was er dol op geweest. En Mac was gewend geraakt aan de kunstmatige, domme verhalen, het overdreven acteerwerk en de pompeuze kostuums. Hij had er altijd van gehouden om te zien hoe Claire zich aankleedde voor een avondje uit. Ze had altijd vol verwachting geglimlacht. En Mac was de muziek en het zingen langzamerhand gaan waarderen.

'Ik heb voor morgen twee kaartjes voor *Don Giovanni*,' zei Hawkes. 'Van Donatelli van Moordzaken gekregen. Hij heeft een nicht in het koor. Donatelli's vrouw heeft griep, dus hij zei dat hij God wat verschuldigd was.'

'Ga je zelf niet?' vroeg Stella.

'Ik geef de voorkeur aan een cd,' zei Hawkes. 'Wil jij het eens proberen?'

'Nee, dank je,' zei Stella.

'Mac?' vroeg Hawkes.

Mac dacht na en keek naar Stella.

Haar wangen waren roze, maar het was moeilijk te bepalen hoe roze onder het felle licht. Haar ogen waren vochtig en hij dacht dat ze er een beetje onvast uitzag.

'Neem jij ze maar,' zei ze.

'Ben jij wel in orde?' vroeg hij.

'Verkouden,' zei ze.

Mac stak zijn hand uit en Hawkes haalde twee kaartjes uit zijn zak. Mac keek ernaar. Het waren goede plaatsen, stalles.

'Bedankt,' zei hij en hij stak ze in zijn zak.

Onderweg door de gang, waar grijs, koud licht door de ramen viel, vroeg Stella: 'Hou jij echt van opera?'

Hij had bijna gezegd: 'We gingen vaak,' maar hij hield zich in en zei in plaats daarvan: 'Hangt af van de opera.'

In het lab stond Danny Messer voor een grote tafel waarop een stuk stalen ketting van zestig centimeter lag.

'Waar beginnen we?' zei hij met een blik op Stella en Mac.

Mac wees met zijn kin naar de ketting.

'Goed,' zei Danny. 'Standaard spul. Op sommige schakels staan piepkleine nummers waaraan je kunt zien waar ze gemaakt zijn. Een ding is zeker. Deze ketting past bij de fragmenten die we in die hotelkamer hebben gevonden. Ik heb de producent gebeld. Die garandeert dat de ketting vijfenveertig kilo kan dragen. De vrouw die ik heb gesproken, zei dat een of meer van de schakels waarschijnlijk open zouden gaan als je meer dan vijfenveertig kilo aan deze ketting uit een raam hing.'

'De kleren van Collier?' vroeg Mac.

Danny glimlachte en liep naar een microscoop. Naast de microscoop lagen netjes genummerd objectglaasjes. Danny schoof een van de glaasjes onder de microscoop, stelde scherp en deed een stap achteruit.

'Ik heb die bruinwitte vlekjes getest,' zei Danny. 'Meel. Alleen op de achterkant van zijn jasje.'

Stella keek door de microscoop.

'Colliers lichaam is verplaatst in een voertuig waarin meel lag,' zei Mac.

'Een dun laagje, kun je wel zeggen,' zei Danny.

'Stukjes insect in het meel,' zei Stella. 'Ook in de andere monsters?'

'Ja,' zei Danny.

'De keuringsdienst van waren staat een laag gehalte aan insectenresten toe in meel dat in bakkerijen wordt gebruikt,' zei Mac.

'Ik zal eraan denken als ik vanavond een sandwich bestel,' zei Danny.

Stella ging opzij en Mac keek door de microscoop en zei: 'De insecten verschillen per bakkerij.'

'En,' voegde Danny eraan toe, 'er zijn verschillende soorten meel met verschillende toevoegingen. Ik ben bezig de producent van dit meel te achterhalen. Dan vraag ik om een lijst van hun klanten. Daarna kunnen we het meel en de stukjes insect vergelijken met een bepaalde bakkerij.'

'Misschien,' zei Stella, die haar armen over elkaar had geslagen.

'Misschien,' beaamde Danny.

'Begin maar met Marco's Bakery,' zei Stella.

Ze wisten allemaal waarom. De vingerafdruk in de hotelkamer boven die van Alberta Spanio was daar achtergelaten door Steven Guista, een man die al eerder gearresteerd was, een grote man die een bestelwagen reed voor Marco's Bakery, die eigendom was van Dario Marco, de broer van de man tegen wie Alberta Spanio had moeten getuigen.

'Nog niets van Flack?' vroeg Mac.

'Nog niet,' zei Danny. 'Hij zit in het appartement van Guista te wachten. Rechter Familia heeft hem een huiszoekingsbevel gegeven.'

Mac keek naar Stella, die onderdrukt snoof.

'Ik haal mijn koffertje,' zei ze.

Het zou hen twintig minuten kosten om bij Guista's appartement te komen. In die twintig minuten zou er een heleboel gebeuren.

Don Flack keek zorgvuldig rond in Guista's kleine appartement en luisterde naar voetstappen in de gang. Er had een monnik kunnen wonen.

In de kleine woonkamer, net achter de deur naar de hal, stond een groene leunstoel met vlekken. In die gevlekte leunstoel zat een kuil waar Guista waarschijnlijk het grootste deel van zijn tijd doorbracht. Op een oud dressoir met drie laden stond een kleine kleurentelevisie van het merk Zenith. Op de arm van de leunstoel lag de afstandsbediening.

In de keuken stond een formica tafel met aluminium poten en drie bijpassende stoelen met blauwe plastic zittingen en rugleuningen. Een koelkast met maar weinig erin, een kastje met drie koffiekopjes, vier borden en een paar zware glazen. Onder het aanrecht stonden een pan en een koekenpan met een beschadigde teflonbodem.

De slaapkamer was piepklein. Het grootste deel van de ruimte werd ingenomen door een netjes opgemaakt bed met een groene deken en vier kussens. Er lagen geen boeken of tijdschriften op het tafeltje ernaast. Aan de muur aan het voeteneind van het bed hing een poster van drie paarden die graasden in een grote, golvende weide.

In de kleine badkamer stond een grote, oude badkuip met klauwpoten en oude, porseleinen knoppen.

Wat Flack het meest opviel aan het appartement, was dat het onberispelijk schoon leek, bijna antiseptisch, amper in geleefd. Er bevonden zich niet veel kleren in de laden of de kast. Guista leek gesteld op de kleur groen in zijn sokken, hemden en de paar meubels.

Don liep terug naar de woonkamer/keuken en ging zitten in een van de stoelen aan de formica tafel, met zijn gezicht naar de deur. Hij was bereid de rest van de dag en de hele nacht in het flatje te blijven.

Aan de andere kant van de gang vierden Big Stevie en Lilly feest met het eten en een herhaling van een aflevering van *Gunsmoke*, één in zwart-wit met Dennis Weaver als Chester.

Stevie wilde daar blijven. Hij had genoeg gedaan voor één dag, meer dan genoeg. Hij hoopte dat het gewaardeerd zou worden. Niet dat hij een bonus verwachtte. Een klein teken van waardering was genoeg. En het was ook nog zijn verjaardag.

Maar op dit moment moest hij nadenken. Er was iemand in zijn flat, een man die hem opwachtte, die snuffelde in zijn netjes opgestapelde kleren, zijn keurig opgehangen broeken, shirts en jasjes, zijn koffiekopjes en de potten met ontbijtgranen.

Big Stevie wist dat hij weg moest, maar het voelde zo goed om hier met Lilly te zitten en het laatste stukje taart op te eten en sinaasappel-mandarijnensap te drinken.

Het was waarschijnlijk de politie. Maar die had hem veel te vroeg gevonden. Eigenlijk verwachtte hij helemaal niet gevonden te worden, maar ze waren er toch.

Toen kwam er een andere gedachte bij hem op. Hij probeerde die weg te duwen. Stel dat het de politie niet was? Stel dat meneer Marco dacht dat Big Stevie wel eens opgepakt kon worden en kon gaan praten? Stel dat meneer Marco dacht dat Big Stevie te oud werd voor het werk? Nee, dat kon niet. Dat was onmogelijk. Hoewel...

Stevie moest naar zijn flat om erachter te komen. Hij moest de paar spullen halen waar hij om gaf en ergens anders heen gaan, de zaak met Marco bespreken en naar Detroit of Boston vertrekken. Hij kende Detroit en Boston.

'Ik ben niet bang,' zei Lilly.

'Wat?'

'Die man in die schuur gaat commissaris Dillon niet vermoorden,' legde ze uit. 'Volgens die muziek zou dat kunnen gebeuren, maar als hij commissaris Dillon vermoordt, zijn er geen andere afleveringen meer en we weten dat er nog een heleboel zijn.'

'Jij bent slim,' zei Stevie en hij legde zijn brede hand op haar hoofd.

'Slimmer dan de gemiddelde beer,' zei ze.

Dat begreep Stevie niet.

De aflevering was afgelopen. Commissaris Dillon had de slechterik in de schuur doodgeschoten. Stevie stond op. Hij moest het weten. 'Jij blijft hier,' zei hij. 'Misschien hoor je wat lawaai in de gang, maar je blijft binnen. Doe de deur achter me op slot.'

'Moet je gaan?'

'Zaken,' zei hij.

'Die man in je flat,' zei Lilly.

'Ja.'

'Kom je nog terug als je met hem klaar bent?'

'Vandaag niet,' zei hij.

Hij deed zijn hand in zijn zak en haalde er de beschilderde hond uit die ze voor hem had gemaakt.

'Dank je,' zei hij terwijl hij hem omhooghield.

'Vind je hem echt mooi?'

'Het beste verjaardagscadeautje dat ik ooit heb gehad,' zei hij en hij stopte de hond weer in zijn zak.

Hij zette het geluid van de televisie zacht, liep naar de deur en deed hem langzaam en stilletjes open, terwijl Lilly toekeek.

'Op slot doen,' fluisterde hij.

Ze knikte, kwam bij de deur staan en deed die achter hem op slot. In de gang bleef Stevie even staan en toen sloop hij zachtjes naar de deur van zijn flat. Had de man die daarbinnen zat de deur opengelaten? Waarschijnlijk niet. Hij wilde natuurlijk horen dat Stevie zijn sleutel in het slot stak en hem omdraaide, en daarom gooide Stevie zichzelf tegen de deur.

Don had klaar moeten staan, maar de enorme man die door de versplinterde deur schoot en hem aanviel, bewoog te snel om zijn wapen te kunnen trekken.

Hij wilde opstaan uit de stoel, maar de grote man wierp zich op hem en landde met zijn volle gewicht op Don, zodat ze allebei op de grond vielen.

'Politie,' hijgde Don.

De grote man zat boven op de rechercheur, die tegen de vloer werd gehouden en pijn in zijn rug kreeg van de metalen poot van de stoel die onder hem lag.

Stevie was opgelucht. Marco had niet iemand gestuurd om hem te vermoorden. De politie kon Stevie wel aan. Dat had hij zijn hele leven al gekund. Anthony Korncoff, die zijn halve leven in de cel had doorgebracht, zei dat het feit dat Stevie nog leefde een direct resultaat was van Stevies relatieve gebrek aan intelligentie.

'Jij bent een en al dierlijk instinct,' had Korncoff gezegd.

Stevie had dat als een compliment opgevat. Stevie hield alles simpel. Dat moest hij wel. Als Stevie eenmaal een leugen had verteld, hield hij zich daaraan. Hij liet zich nooit van zijn stuk brengen. Nu ook niet.

'Wat moet je?' zei Stevie.

'Ga van me af, dan kan ik je wat vragen stellen,' zei Don, die de pijn en het gewicht van de grote man probeerde te negeren.

'Vragen waarover?' vroeg Stevie.

Het was mogelijk dat de man die hem tegen de grond hield een paar uur geleden Cliff Collier had vermoord. Het was zeker dat hij iets te maken had met de moord op Alberta Spanio. En als Don hier iets van zei, zou de grote man hem waarschijnlijk vermoorden.

'Geef me een beetje lucht,' hijgde Don.

Stevie dacht erover na en ging wat achteruit. Dat was een vergissing. Don greep zijn pistool en trok het uit de holster onder zijn jasje toen Stevies vingers zijn keel vonden.

Don voelde de dikke duimen in zijn nek steken, diep en snel. Hij schoot. Hij was er niet zeker van waar hij het pistool op gericht hield. Hij hoopte maar op Big Stevie Guista.

Stevie gromde en zijn duimen lieten iets los. Don sloeg de grote man op zijn neus met de loop van zijn pistool en Stevie stond op wankele benen op. Er kwam bloed uit een wond in het vlezige bovendeel van zijn linkerbeen en uit zijn gebroken neus.

Don schoof over de vloer naar achteren. Hij wilde de man nog steeds arresteren, maar hij nam geen risico.

Hij aarzelde. Big Stevie schopte het pistool uit de hand van de rechercheur. Het vloog omhoog en landde met een luid gekletter in de gootsteen.

Stevie had een keus. Er was geschoten. Iemand zou het gehoord kunnen hebben. Moest hij de politieman vermoorden? Had hij daar genoeg kracht voor? Zou het de pijn en het bloeden erger maken? En wat had hij erbij te winnen om nog een agent te vermoorden?

Er was geen keus. Stevie stommelde door de open deur de gang op. Hij hoorde dat de agent overeind probeerde te komen. De deur van de flat tegenover die van hem ging open. Lilly keek naar hem.

'Alles komt goed,' zei hij. 'Ga weer naar binnen. Doe de deur op slot.'

'Je bent gewond,' zei ze klaaglijk toen ze de wond in zijn been zag. Ze begon te huilen.

Hij keek achterom naar de agent, die nog steeds niet overeind stond.

'Niemand heeft ooit voor me gehuild,' zei hij.

Hij glimlachte door het bloed op zijn gezicht heen, dat zijn tanden rood kleurde.

Stevie strompelde snel door de gang, zonder achterom te kijken. Zijn hand vond de beschilderde hond in zijn zak. Hij hield hem stevig vast, maar niet zo stevig dat hij zou breken.

Mac en Stella misten Stevie met niet meer dan drie minuten. Ze zagen de druppels bloed op de trap toen ze naar boven gingen. Ze wisten niet wiens bloed het was, maar ze konden wel zien dat degene die gebloed had naar beneden was gegaan, niet naar boven. De bloeddruppels hadden een staartje in de richting waaruit de bloedende persoon was gekomen.

Toen ze in de deuropening van Stevies flat stonden, had Mac zijn pistool getrokken.

Het meisje van de overkant, met wie ze eerder hadden gepraat, knielde naast Don Flack, die met een pijnlijk vertrokken gezicht op de vloer zat.

'Een paar ribben gebroken, denk ik,' zei hij. 'Guista kan niet ver weg zijn. Een paar minuten geleden. Ik heb hem in zijn been geschoten.'

Stella ging naar Don terwijl Mac zich met het pistool in de hand omdraaide en het bloedspoor volgde.

De lange, knappe vrouw van waarschijnlijk ergens halverwege de veertig, met het korte, platinablonde haar, droeg een grijs pakje, een witte blouse en een eenvoudig snoer namaakparels om haar hals. Ze straalde klasse uit te midden van de geuren van versgebakken brood. Van de bakkerij aan de andere kant van de gang, achter de dubbele deuren, kwam het zwakke geluid van stemmen.

Danny wilde zijn bril goed duwen, maar weerhield zich ervan. Hij had het idee dat de vrouw het gebaar zou opvatten als onzekerheid. 'Waarover wilt u meneer Marco spreken?' vroeg ze met een blik op de geüniformeerde agent achter Danny. De agent was breed, ervaren en donker. Zijn naam was Tom Martin. Hij keek de vrouw aan zonder met zijn ogen te knipperen.

Een van de eerste lessen die hij eenentwintig jaar eerder op de politieacademie had geleerd, was dat je niet moest knipperen als je tegenover zo'n harde gast stond. Letterlijk niet en figuurlijk niet. Zijn instructeur, een veteraan met een heleboel medailles, had gezegd dat ze op de ogen van filmsterren moesten letten.

'Charlton Heston, Charles Bronson,' had de instructeur gezegd. 'Die knipperen ook niet met hun ogen. Dat is onderdeel van hun geheim. Doe er je voordeel mee.'

Martin wist waar ze waren en waarom. Er werden geen moeilijkheden verwacht, maar hij was eerder door schijnbaar onschuldige deuren gestapt en had daarachter een bijna onmenselijke of ijskoude krankzinnigheid aangetroffen. Zo kwam hij aan het roze litteken op zijn kin en een heleboel ervaring.

'Meneer Marco heeft het druk,' zei de vrouw, die zich niet voorstelde.

'Ik wil alleen even in de bakkerij rondkijken en een paar vragen stellen,' zei Danny.

'Ik kan de vragen wel beantwoorden,' zei ze.

'Is Steven Guista hier?'

'Hij heeft vandaag en morgen vrij,' zei ze. 'Hij is jarig. Meneer Marco denkt aan de verjaardagen van mensen die hem trouw zijn.'

Danny knikte.

'Is zijn wagen hier?' vroeg Danny.

'Nee,' zei ze. 'Meneer Marco heeft hem toestemming gegeven die te gebruiken om dingen te vervoeren voor zijn verjaardag.'

'Een vrachtwagen?' vroeg Danny.

'Een kleine bestelwagen,' zei ze.

'Ik zou graag de bakkerij en meneer Marco zien,' zei Danny. 'Ik kan ook terugkomen met een huiszoekingsbevel.'

'Het spijt me, maar...' begon ze.

'U verkoopt brood?'

'Daar bakken we het voor,' zei ze.

'Ik wil graag een vers brood kopen,' zei Danny.

Ze draaide haar hoofd iets, alsof ze probeerde te beoordelen of hij leuk wilde zijn.

'Wat voor brood?' vroeg ze.

'Het soort dat Guista aflevert,' zei Danny.

'We hebben acht verschillende soorten brood,' zei ze.

'Een van elk,' zei Danny. 'Ik betaal de winkelprijs.'

'Wacht hier,' zei ze en ze liep snel door de gang naar de deuren van de bakkerij, waarbij haar platte hakken over de versleten tegels klikten.

De deur van het kantoor bevond zich links van de twee mannen. De naam van Dario Marco stond erop in gouden letters. Danny keek naar Martin, die knikte en de deur opendeed. De twee mannen liepen naar binnen en kwamen terecht in een kleine, met hout betimmerde receptieruimte annex kantoor. Op het bureau stond een naamplaatje: HELEN GRANDFIELD.

Achter het bureau was een deur. En achter die deur klonk de stem van een man. Danny en Martin liepen naar de deur. Danny klopte en ging naar binnen zonder op antwoord te wachten.

Dario Marco, een slanke man in een sportieve pantalon en een wit overhemd dat openstond aan de hals, stond voor het bureau te telefoneren. Hij was aan het ijsberen. Maar bij hun binnenkomst bleef hij abrupt staan, keek naar de twee mannen en zei: 'Ik bel je terug.' Hij hing op en draaide zich om naar Danny en Martin.

'Ik geloof niet dat ik "kom binnen" heb gezegd,' zei hij.

Hij was voor in de zestig en zijn haar was duidelijk geverfd. Als jongeman was hij waarschijnlijk donker en knap geweest, maar het gewicht van wat hij met zijn leven had gedaan, lag zwaar op zijn hangende trekken.

'Sorry,' zei Danny.

'Wat moet je?'

'Wanneer hebt u uw broer voor het laatst gesproken?' vroeg Danny.

Marco keek naar de agent, die recht terugkeek. Martin won. Hij was beter getraind. Marco knipperde met zijn ogen en wendde zich weer tot Danny, die hij van top tot teen bekeek met een blik die aangaf dat hij niet onder de indruk was.

'Welke?' vroeg Marco.

'Anthony.'

Marco schudde zijn hoofd.

'Anthony is het zwarte schaap van de familie,' zei Dario Marco. 'Ik praat niet met hem. Ik heb hem niet eens bezocht in de gevangenis.' Hij keek Danny uitdagend aan. Er waren een heleboel manieren om te communiceren met iemand in de gevangenis.

'Kijk zijn telefoontjes en zijn bezoekersregister er maar op na,' zei Dario.

'Dat hebben we gedaan,' zei Danny.

'Wat wil je nog meer?'

'Steven Guista,' zei Danny.

'Die heeft vrij. Hij is jarig. Ik heb hem twee dagen gegeven. Ik heb zeven bakkers moeten ontslaan en de productie moeten halveren sinds die *low carb*-rage. Brood is opeens slecht voor je. Kun je je dat voorstellen? Ons dagelijks brood. Het staat verdomme in de bijbel. Wat moet je van Stevie? Heeft hij iets gedaan?'

'We willen graag met hem praten en zijn bestelwagen bekijken,' zei Danny.

'Die heeft hij mee.'

'Dat weet ik. Dat heeft uw secretaresse ons al verteld,' zei Danny.

'Helen is mijn assistente.'

De deur ging open en de vrouw kwam binnen met een grote papieren zak.

'Het spijt me,' zei ze tegen Marco.

Het klonk niet alsof het haar speet. Marco haalde zijn schouders op.

Ze overhandigde de zak aan Danny.

'Als het u hetzelfde is, wil ik graag mijn eigen brood uitzoeken in de bakkerij,' zei Danny.

'Denk je soms dat ik naar buiten ben gerend en ergens anders brood heb gekocht?' vroeg ze.

Danny haalde zijn schouders op en kon geen weerstand bieden aan de aandrang om zijn bril goed te duwen.

'Het is goed,' zei Marco. 'Laat deze heren de bakkerij zien en doe ze daarna uitgeleide.'

Hij wendde zich tot Danny en voegde eraan toe: 'Geen vragen meer. Als je terugkomt, heb je een huiszoekingsbevel nodig.'

Helen Grandfield draaide zich om en ging de twee mannen voor. Ze volgden haar door de gang en door de deuren van de bakkerij. Hier hing nog sterker de goede en geruststellende geur van vers brood.

'Neem mee wat u wilt,' zei Helen. Een stuk of tien bakkers en assistenten in witte schorten en witte, papieren mutsen keken naar hen om en bleven aan het werk.

Danny verzamelde brood en bolletjes in een andere witpapieren zak en zette beide zakken op de vloer terwijl hij meel van een tafel veegde waar rijen ongebakken broden stonden te wachten tot ze de oven in konden. Hij deed het meel in een andere zak.

'Bedankt,' zei Danny, die zijn sporenkoffertje aan Martin gaf en de papieren zakken oppakte.

Het viel Martin op dat de technische rechercheur de zakken vasthield met zijn vingers over de bovenkant. Danny Messer zorgde dat de vingerafdrukken van Helen Grandfield intact bleven.

'Dat is het?' vroeg ze.

'Dat is het,' beaamde Danny.

Hij liep samen met Martin naar de deur. Helen Grandfield volgde hen niet. Onderweg naar buiten bekeek Danny automatisch de muren en de vloer en lette op geluiden en geuren. Toen ze enige tientallen meters de gang door waren gelopen en bij een donker kantoor voorbij Marco's kamer kwamen, bleef Danny staan en keek naar beneden. Martin volgde zijn blik terwijl Danny zich op een knie liet zakken.

Er zaten twee donkere strepen op de vloer, ongeveer dertig centimeter lang en vijftien centimeter uit elkaar. Danny deed zijn koffertje open, maakte foto's van de sporen en nam toen zorgvuldig schraapsels van het materiaal waaruit de strepen bestonden.

Toen hij bijna klaar was, ging de deur van de bakkerij aan de andere kant van de gang open. Danny en Martin keken achterom en zagen Helen Grandfield.

Ze keek Danny recht aan. Hij vond het niet erg om de eerste te zijn die met zijn ogen knipperde. Hij hoefde haar niet te intimideren met zijn blik. Hij hield zich alleen bezig met de donkere vegen die misschien, heel misschien, hielsporen konden zijn, te oordelen naar de kleur, hoe ze aanvoelden en hoe ze roken.

10

Mac was net op tijd om een kleine, witte bestelwagen met MARCO'S BAKERY op de achterkant van de laaddeur voor een broodjeszaak te zien wegrijden.

Hij zette het op een lopen, gleed bijna uit over het ijs onder de sneeuwlaag, en zag de witte bestelwagen een driehonderd meter verderop nog net schuivend rechts afslaan.

Stella was inmiddels bij hem. Geen van hen hijgde, maar de koude lucht beet in hun longen. Ze wisten allebei dat Guista weg zou zijn tegen de tijd dat ze bij hun auto konden komen om hem te achtervolgen.

Mac keek de straat door naar de plek waar het linkerportier van Guista's auto zich moest hebben bevonden. De bloedvlek was ongeveer zo groot als de bovenkant van een blikje Pepsi. Guista bloedde harder. Zijn ren naar de bestelwagen had zijn verwonding erger gemaakt.

Stella had een paar spullen in haar zak. Ze knielde naast de bloedvlek, haalde een wattenstaafje tevoorschijn en nam een bloedmonster, dat ze in een flesje deed. Ze herhaalde het proces nog een keer en deed de monsters weer in het etui in haar zak.

Een paar voorbijgangers stonden even stil om te kijken, maar niet meer dan een paar seconden. Het was gewoon veel te koud.

'En nu?' zei Stella toen ze opstond en probeerde niet te laten merken hoeveel pijn haar armen en benen deden.

'We bellen de ziekenhuizen,' zei Mac terwijl er een auto met verboden sneeuwkettingen langs ratelde. 'We laten naar de bestelwagen uitkijken.'

'Hij bloedt behoorlijk uit een diepe wond,' zei Stella met een blik op het donkerrode bloed. 'Misschien haalt hij het ziekenhuis niet.'

'Misschien probeert hij dat helemaal niet,' zei Mac. 'Hoe is het met Flack?'

'Gebroken ribben. Guista is op zijn borstkas gaan zitten. Met hem komt het wel goed,' zei Stella. 'Ik heb een ambulance gebeld.'

'Ik ga naar hem toe,' zei Mac en hij liep terug naar het flatgebouw. 'Ga jij maar naar het lab en werk de telefoontjes af. Ik...'

Macs telefoon ging. Hij haalde hem uit zijn zak en nam op. Stella haastte zich voor hem uit naar de auto, die meer dan een blok verderop stond.

'Ja,' zei Mac.

'Ik heb de kogel gevonden in de liftschacht,' zei Aiden. 'Je had gelijk.'

'Ik kom zo snel ik kan.'

'Dat is nog niet alles,' zei Aiden. 'Danny heeft iets dat je ook wel zult willen horen.'

'Zeg maar dat ik eraan kom,' zei Mac.

Ze troffen elkaar bijna twee uur later. Het was tegen zevenen. Aiden had nog niet gedoucht. Op de tafel stonden twee zakken brood en bolletjes van Marco's Bakery in de Bronx, waar nog niets mee was gedaan.

Nadat hij met Flack naar het ziekenhuis was gegaan voor röntgenfoto's en het intapen van zijn ribben, had Mac gyros en iets te drinken gehaald in een Grieks restaurant in de buurt.

Ze aten allemaal langzaam, behalve Stella, die slechts knabbelde aan de korst van haar pitabroodje.

'De hielsporen in de gang van de bakkerij zijn definitief afkomstig van Colliers schoenen,' zei Danny. 'Ik heb het gecontroleerd. Hij moet in de bakkerij zijn gewurgd.'

Mac keek naar Aiden.

'De kogel die Lutnikov doodde, was een .22,' zei ze.

'Louisa Cormier heeft een .22,' zei Mac.

'Maar die is niet afgevuurd,' reageerde Aiden.

'Misschien heeft ze er nog een,' zei Mac. 'Of ze heeft het pistool dat wel is afgevuurd laten verdwijnen en het vervangen door het exemplaar dat wij hebben gezien.'

'Om haar sporen uit te wissen,' zei Stella.

'Ze schrijft tenslotte detectives,' zei Mac.

'We hadden het registratienummer van het pistool dat ze ons heeft laten zien moeten nagaan. Hebben we genoeg voor een huiszoekingsbevel?' vroeg Aiden.

'Nee,' zei Mac. 'Heb je op Louisa Cormiers handen gelet toen we met haar praatten?'

'Schoon,' zei Aiden schouderophalend.

'Schoon geschrobd,' zei Mac. 'Haar handen waren rood. Waarom?' Mac keek afwachtend om zich heen.

'Lady Macbeth,' zei Danny.

'Detectiveschrijfster,' zei Stella. 'Sporen. Kruitsporen. Ze is bang dat we die zullen vinden.'

Mac hield het rapport over kruitsporen dat Aiden had geschreven omhoog.

Bij het afvuren van een handwapen laten gassen afkomstig uit het wapen sporen achter op de handen en kleren van de schutter, vooral lood, barium en antimoon.

'Ze kan het er niet allemaal af krijgen,' zei Aiden.

Ze wisten allemaal dat er monsters genomen zouden moeten worden van Louisa Cormiers huid, die dan in het lab moesten worden onderzocht op atoomabsorptie onder een elektronische microscoop.

'Misschien weet ze niet dat ze het er niet allemaal af krijgt,' zei Mac. 'Ze kijkt op internet en begint te schrobben. Waarschijnlijk verbrandt ze ook nog de kleren die ze droeg.'

'Dus?' vroeg Danny. 'Kunnen we haar dwingen haar handen te laten onderzoeken?'

'Niet met het bewijs dat we nu hebben,' zei Aiden, 'maar misschien kunnen we haar zo bezorgd maken dat ze een fout maakt.'

'Hoe dan?' vroeg Danny.

'We liegen tegen haar,' zei Aiden. 'En Mac is de beste leugenaar die ik ken.'

'Dank je,' zei Mac. 'Morgen is ze de eerste. Nog nieuws over Guista?'

'Nog niet,' zei Stella.

'Hoe is het met Don?'

'Hij is ontslagen uit het ziekenhuis,' zei Mac. 'De dokter heeft hem gezegd naar huis te gaan en heeft hem pijnstillers gegeven. Hij zal nu wel in bed liggen.'

Mac had het mis.

Don Flack probeerde niet te huiveren toen hij voor het kleine huis in Flushing in Queens stond en aanbelde. Het was na negenen. Na het ondergaan van de zon was de temperatuur gedaald tot iets onder de −17 °C en dan hield hij nog geen rekening met de windfactor.

Er brandde licht in het huis. Hij belde nog eens en probeerde niet te diep adem te halen. De dokter die zijn ribben had ingetapet, dokter Singh, had hem gezegd een van de hydrocodontabletten te nemen en naar bed te gaan. Don had het advies half opgevolgd. Hij had één tablet geslikt voordat hij het ziekenhuis verliet.

De deur ging open. Hij voelde de verwelkomende warmte van het huis en stond tegenover een knappe brunette in de tienerleeftijd met een boek in haar hand.

'Ja?' vroeg ze.

'Is meneer Taxx thuis?' vroeg hij.

'Ja, hoor,' zei het meisje. 'Ik zal hem even halen. Kom binnen.'

Flack ging naar binnen en deed de deur achter zich dicht.

'Bent u wel in orde?' vroeg het meisje.

'Prima,' zei hij.

Ze knikte en liep een kamer aan de rechterkant in, terwijl ze riep: 'Pa, er is iemand voor je.'

Het meisje kwam bijna meteen weer terug.

De warmte in het huis, de pijnscheut en de hydrocodon werden de rechercheur de baas. Hij moest licht op zijn benen hebben gezwaaid.

'Bent u ziek?' vroeg het meisje.

'Ik voel me prima,' loog hij.

Ed Taxx kwam de kamer uit waar het meisje enkele seconden eerder in was verdwenen. Hij droeg een spijkerbroek met opgerolde pijpen en een trui van de New York Jets.

'Flack,' zei hij. 'Is alles goed met je?'

'Prima. Kunnen we even praten?'

'Natuurlijk,' zei Taxx. 'Kom binnen. Wil je koffie, thee of iets sterkers?'

'Koffie,' zei Flack die hem volgde en moeite moest doen geen pijnlijk gezicht te trekken.

'Kun jij een kop koffie voor rechercheur Flack halen?' vroeg Taxx het meisje.

Het meisje knikte.

'Melk, suiker, zoetstof?' vroeg ze.

'Zwart,' zei Flack. Taxx ging de ene kant op en zijn dochter de andere.

Ze kwamen in een kleine, schone woonkamer. Het meubilair was niet nieuw, maar was vrolijk gebloemd en schoon, een vrouwenkamer. Twee bijna identieke banken stonden tegenover elkaar met een laag, grijs tafeltje ertussen en de laatste nummers van *Entertainment Weekly* en *Smithsonian Magazine* naast elkaar.

Taxx ging op de ene bank zitten. Flack nam die tegenover hem.

'Cliff Collier is dood,' zei Flack.

'Ze hebben me gebeld,' zei Taxx hoofdschuddend. 'Al sporen naar de moordenaar?'

'Ik heb op de moordenaar geschoten,' zei Flack met een stalen gezicht. 'Maar hij loopt nog ergens rond. Hij is ontsnapt.'

'Ik kende Collier niet goed,' zei Taxx. 'Alleen van die twee nachtdiensten. Jij was een vriend van hem?'

'We hebben samen op de academie gezeten,' zei Flack, die probeerde zich niet te bewegen in de wetenschap dat dat een geniepige steek in zijn borst tot resultaat zou hebben.

Het meisje kwam terug met twee gele mokken met kurken onderzetters in elke hand. Ze zette ze voor de twee mannen neer.

'Bedankt, schat,' zei Taxx met een glimlach tegen zijn dochter.

'Ik ga weer naar mijn kamer,' zei ze, 'tenzij…'

'Ga je gang,' zei Taxx.

Het meisje keek nog een keer achterom en verdween langzaam, waarschijnlijk in de hoop, dacht Flack, om iets van het gesprek tussen haar vader en de onverwachte bezoeker op te vangen.

'Mijn vrouw zit verderop in de straat te bridgen,' zei Taxx.

Ze vielen stil en dronken koffie.

'Zit je in de problemen?' vroeg Flack.

Taxx schudde zijn hoofd.

'Het openbaar ministerie stelt een onderzoek in,' zei hij. 'Ik krijg waarschijnlijk een uitbrander en omdat ik over een jaar of zo met pensioen ga, word ik waarschijnlijk niet meer naar buiten gestuurd. Ik kan niet zeggen dat ik daar zo mee zit. Iemand moet de schuld krijgen van het verlies van een kroongetuige.'

Flack nam een slok. De koffie was warm, maar niet heet.

'Ik denk dat de kranten en de televisie wel zullen zeggen dat de moord op Cliff doet vermoeden dat hij betrokken was bij de dood van Alberta Spanio, dat hij is vermoord om hem de mond te snoeren,' zei Don.

'Dat geloof ik niet,' zei Taxx, die van zijn eigen koffie dronk. 'Ik kende hem niet goed, maar ik was erbij. Hij had niets te maken met die moord.'

'Dan moet degene die het gedaan heeft gedacht hebben dat Cliff iets had gezien of iets wist,' zei Flack. 'Of dat hij ergens achter was gekomen. Ik denk zelf dat Cliff op eigen houtje een spoor volgde en dat hij werd gezien.'

'Dat lijkt mij logisch,' zei Taxx.

'Degene die het gedaan heeft, zou vervolgens achter jou aan kunnen komen.'

Taxx knikte en zei: 'Daar heb ik ook al aan gedacht. Maar ik kan geen reden bedenken.'

Flack vroeg Taxx nog eens precies te vertellen wat er in het hotel was gebeurd.

'Dat heb ik al gedaan,' zei Taxx. 'We klopten op haar deur.'

'Wij?'

'Ik geloof dat Collier klopte. Ik riep haar naam. Geen antwoord. Collier legde zijn hand tegen de deur en keek me aan. Hij gebaarde dat ik hetzelfde moest doen. Dat deed ik. De deur was koud.'

'Wiens idee was het om de deur open te breken?'

'Daar hebben we niet over gepraat,' zei Taxx. 'We deden het gewoon. Toen we binnenkwamen, rende Collier naar de badkamer en ik ging naar het bed om bij Alberta te kijken.'

'Waarom ging hij naar de badkamer?'

'De wind kwam van daaruit binnen,' zei Taxx. 'We verdeelden het gewoon, met een knikje of zoiets. Je weet hoe dat gaat als er iets onverwachts gebeurt.'

'Ja,' zei Flack. 'Waarom ging hij naar de badkamer en jij naar het lichaam?'

Taxx hield de koffiemok in zijn hand.

'Dat weet ik niet. Het gebeurde gewoon. Ik zag hem naar de badkamer rennen. Dus bleef het bed over.'

'Hoe lang is hij daarbinnen geweest?'

'Vijf, tien seconden,' zei Taxx. 'Flack, wat is er toch met jou? Je ziet eruit...'

'De man die Cliff heeft vermoord is op mijn borst gaan zitten voordat ik op hem kon schieten. Gebroken ribben.'

'Moest je ver rijden om hier te komen?'

'Het ging wel.'

'Wil je hier blijven slapen?' vroeg Taxx. 'We hebben een logeerkamer.'

'Nee, dank je,' zei hij. 'Ik red me wel. Hoe is het die laatste avond gegaan toen Alberta Spanio naar bed ging?'

'Hetzelfde als de eerste drie avonden,' zei Taxx. 'We controleerden of de ramen wel goed op slot zaten.'

'Wie controleerde dat?'

'Wij allebei,' zei Taxx.

'Wie controleerde het badkamerraam?'

'Collier. Toen gingen we weg en deed Alberta de deur achter ons op slot. We hoorden het slot klikken.'

'Geen geluiden die nacht?' vroeg Flack.

'Uit haar kamer? Nee.'

'Ergens anders vandaan?'

'Nee.'

'Misschien moeten we je huis in de gaten laten houden tot we die vent hebben opgepakt die Cliff heeft vermoord.'

'Ik ben goed bewapend,' zei Taxx. 'En ik weet hoe ik mijn wapen moet gebruiken.'

'Misschien moet je het maar bij je dragen en 's nachts naast je bed leggen.'

Taxx trok zijn trui omhoog, zodat een kleine holster met pistool aan zijn riem zichtbaar werd. Toen trok hij de trui weer naar beneden. 'Dat idee kreeg ik ook al toen ik hoorde wat er met Collier was gebeurd, maar ik heb echt geen flauw idee wat Collier en ik gezien of gehoord zouden kunnen hebben waarvoor Marco een moordenaar achter ons aan stuurt. Hij moet weten dat het straks breeduit in de ochtendkranten staat en dat hij het wel kan schudden als er iets met mij gebeurt. Nog koffie?'

'Nee, dank je,' zei Flack, die voorzichtig ging staan.

'Weet je zeker dat je niet wilt blijven slapen?'

'Nee, dank je,' herhaalde hij.

'Wat je wilt,' zei Taxx en hij ging Flack voor naar de voordeur.

'Probeer te bedenken of je soms iets bent vergeten of gemist hebt,' zei Flack.

'Dat doe ik al, ik ga steeds weer alles na, maar... Ik blijf het proberen,' zei Taxx. 'Pas goed op jezelf daarbuiten.'

Flack liep de ijskoude nacht in. De deur ging achter hem dicht en de laatste warmte verdween. Hij miste iets. Hij wist het, voelde het. Hij zou nu voorzichtig naar huis rijden, in de wetenschap dat de pijn het voorlopig won, in ieder geval tot hij thuis was en nog een hydrocodontablet nam. Morgenochtend zou hij kijken of Stella al iets had gevonden. Wat hij morgen verder ging doen, hing af van de vraag of Stevie Guista gepakt was.

Hij stapte in zijn auto en stak zijn hand in zijn jaszak. De beweging bezorgde hem een pijnscheut in zijn borst. Hij haalde het potje pillen tevoorschijn, begon het open te maken en bedacht zich.

Het kostte hem bijna twee uur om thuis te komen.

De vrouw achter de videomonitor van de kruising in de betere wijk heette Molly Ives. Ze was gezet, zwart en klaarwakker, want ze studeerde 's nachts rechten. Haar dienst, de nachtdienst, was een kwartier eerder begonnen.

Ze kreeg de bakkerijwagen in het oog bij een rood stoplicht op de kruising van 96th en Third. Ze was niet zeker dat het de wagen was waar volgens het klembord naast haar naar uitgekeken moest worden. Maar ze kreeg zekerheid toen het licht op groen sprong en ze de woorden MARCO'S BAKERY op de zijkant zag staan toen de auto voorbijreed.

Molly Ives belde het door aan de politiecentrale, die contact opnam met een patrouillewagen in de buurt. Vijf minuten later sneed de patrouillewagen de bakkerijauto de pas af en stapten de twee politiemannen uit.

Ze naderden de bestelwagen met het wapen in de hand, een agent aan elke kant van het voertuig.

'Kom eruit,' riep een van de agenten. 'Handen omhoog.'

Het portier van de bestelwagen ging open en de bestuurder stapte langzaam uit.

Big Stevie had het bloeden weten te stelpen. Hij was achter in de bestelwagen gaan zitten met de verwarming aan, en had zijn T-shirt uitgetrokken en het tegen de wond in zijn rechterbeen gedrukt, tegen het dikke, vlezige deel boven de knie. Toen hij de achterkant had betast, had hij de wond gevoeld waar de kogel was uitgetreden. Die bloedde minder, maar het gat was groter. Er waren geen botten gebroken. Hij had het T-shirt strak om zijn been gebonden.

Hij zou de bestelwagen moeten achterlaten. En hij moest een dokter of een verpleegster of zoiets zien te vinden. Wie wist wat er aan de binnenkant allemaal gebeurde? Hij kon wel een inwendige bloeding hebben of zo'n embolie of zoiets. Hij had ook geld nodig om de stad uit te kunnen komen. Steven Guista had dringende behoeften en maar één iemand tot wie hij zich kon wenden.

Hij reed verder, dacht erover de brug naar Manhattan te nemen, bedacht zich en ging op weg naar de buurt die hij het beste kende. Het provisorische verband bleef redelijk goed zitten, maar er sijpelde wat bloed doorheen. Hij reed naar een openbare telefoon voor een kruidenier die dag en nacht open was en waar hij wel vaker geweest was. Hij parkeerde en strompelde de bestelwagen uit.

'Met mij,' zei hij toen de vrouw opnam. Hij gaf haar het nummer van de telefoon waarmee hij belde. Ze hing op. Hij bleef rillend en licht in het hoofd staan wachten. De lampen van de kruidenier gaven geen warmte af. Ze belde tien minuten later terug.

'Waar zit je?' vroeg ze.

'Brooklyn,' zei hij. 'Ik ben teruggegaan naar mijn flat en neergeschoten door een agent.'

Er viel zo'n lange stilte dat Stevie vroeg: 'Ben je er nog?'

'Ik ben er nog,' zei ze. 'Hoe erg is het?'

'Beenwond,' zei hij. 'Ik moet naar een dokter.'

'Ik zal je een adres geven,' zei ze. 'Kun je dat onthouden?'

'Ik heb geen pen of papier, helemaal niets,' zei hij.

'Herhaal het dan gewoon voor jezelf. Laat de bestelwagen achter. Neem een taxi.'

Ze gaf hem de naam van een vrouw. Lynn Contranos, en een adres. Hij herhaalde het.

'Ik zal haar bellen en zeggen dat je eraan komt.'

De vrouw hing op. Stevie haalde wat wisselgeld uit zijn zak, belde inlichtingen voor het nummer van een taxibedrijf en wachtte. Terwijl hij wachtte, herhaalde hij de naam van de vrouw die hij moest opzoeken, Lynn Contranos.

Over een paar uur was zijn verjaardag alweer voorbij. Hij wilde er niet aan denken. Zijn broek kleefde aan zijn been omdat het bloed bevroor.

Hij bleef de woorden herhalen onder het wachten, dacht alleen nog maar aan dat adres. Eén ding tegelijk, dan kwam hij hier misschien doorheen.

Een kwartier later was er nog geen auto en Big Stevie stapte weer in zijn bestelwagen, zette de verwarming hoog en bleef de straat in de gaten houden, wachtend op vervoer.

Als hij er over tien minuten nog niet is, rijd ik er zelf heen. Hij had moeite de naam en het adres te onthouden waar hij heen moest, maar hij bleef ze herhalen terwijl hij wachtte op een auto die misschien nooit zou komen.

Mac zat in zijn woonkamer in de versleten, bruine stoel met het bijpassende voetenbankje. Zijn vrouw had hem zijn zin gegeven. Hij was altijd gek geweest op die stoel, werd er nog steeds door aangetrokken, maar de liefde was verdwenen. Het was nu gewoon een plek om te zitten en te werken of een voetbalwedstrijd of hondenshow of oude film te kijken.

Vanavond was hij in een schoon, grijs joggingpak aan het werk. Op de licht bekraste tafel met ingelegd hout die naast hem stond lagen twee stapels boeken, vers van de pers, en zevenentwintig netjes getypte bladzijden papier, die met een paperclip aan elkaar zaten. Op een snijplankje dat niet groter was dan een van de boeken stond een mok koffie die hij net in de magnetron had opgewarmd. Er lag ook een stapel recensies, oud en nieuw, die hij van internet had gehaald en geprint.

Het was net voor tienen.

Hij had de boeken van Louisa Cormier in chronologische volgorde gelegd. Haar eerste boek heette *Andervrouws nachtmerrie*. De recensies waren mild lovend, maar het had enorm goed verkocht. Bij het vierde boek hadden de recensenten geschreven dat Louisa Cormier een nieuwe weg was ingeslagen en dat ze inmiddels tot de beste detectiveschrijfsters behoorde. Ze werd voortdurend in gunstige zin vergeleken met schrijfsters als Sue Grafton, Mary Higgins Clark, Marcia Muller, Faye Kellerman en Sara Paretsky.

Mac nam een slokje koffie. Die was niet warm genoeg, maar hij had geen zin om op te staan, naar de keuken te gaan en de mok weer in de magnetron te zetten. Hij nam een grotere slok en hoopte dat hij het werk van Louisa Cormier interessant zou vinden.

Voordat hij het eerste boek open kon slaan, ging de telefoon.

Het was even na tien uur 's avonds. Stella keek mee over Danny's schouder terwijl hij het beeld opbouwde op het computerscherm in het lab.

Stella's ogen brandden. Ze twijfelde er niet langer aan dat ze iets onder de leden had. Iets dat ervoor zorgde dat haar bijholten vol liepen, haar ogen traanden en haar keel kriebelde. Ze probeerde er niet op te letten.

Het beeld op het scherm leek wel een beetje op een van die computerspelletjes waarmee op de televisie geadverteerd werd, zo'n spelletje waarin mensen die er helemaal niet uitzien als mensen elkaar afslachten met luidruchtige wapens, gemene schoppen en pijnlijke geluiden.

Op het scherm bevond zich een door de computer getekende bakstenen muur. In de muur bevond zich een enkel raam.

'Hoe hoog boven het badkamerraam zat het raam van Guista's hotelkamer?' vroeg hij.

'Drieënhalve meter,' antwoordde Stella.

Danny's vingers gingen over de toetsen en bewogen een muis tot het beeld naar beneden scrolde. Plotseling verscheen er een tweede raam.

'Verklein het beeld, zodat we beide ramen kunnen zien,' zei Stella. Danny deed het. Nu bevond het ene raam zich recht boven het andere.

'Het was nacht,' herinnerde ze hem.

Danny maakte het donker.

'Was het licht in de badkamer aan?' vroeg hij.

Stella haalde haar aantekeningen voor de dag en ook een pakje zakdoekjes. Ze bladerde door de aantekeningen en zei: 'Ze sliep met het badkamerlicht aan.'

'Badkamerlicht aan,' zei Danny.

Er verscheen een lichtgele gloed in het onderste raam.

'Nu de ketting van Guista's kamer naar de badkamer,' zei Stella, terwijl ze haar neus afveegde.

'Kettingen, kettingen, kettingen, kettingen,' zei Danny terwijl hij zocht en zijn bril weer op zijn neus duwde. 'Hier. Kies er maar een.' Hij scrolde naar beneden.

'Deze lijkt het meest op de ketting die hij gebruikt heeft,' zei Danny.

'Kun je die uit Guista's raam laten hangen?' vroeg Stella.

'Jij bent echt ziek aan het worden,' zei hij.

'Als hij de ketting heeft gebruikt om iemand te laten zakken,' zei ze in plaats van op zijn commentaar te antwoorden, 'dan moet die persoon heel klein en dapper zijn geweest en gehoopt hebben dat het badkamerraam openstond.'

'Of hebben geweten dat het openstond,' zei Danny.

'Kun je iemand aan het eind van die ketting hangen?'

Er verscheen een mannelijk figuurtje, gekleed als een ninja.

'Maak hem kleiner,' zei ze.

Danny maakte het poppetje kleiner.

'Kun je het raam openzetten?' vroeg ze.
'Hoe ver stond het open?'
Ze keek weer in haar aantekeningen en kwam met het antwoord:
'Iets meer dan vijfendertig centimeter.'
Danny zette het raam open.
'Smal,' zei hij. 'Moet ik onze ninja nog kleiner maken?'
'Doe maar,' zei ze.
Het gebeurde.
'Hoeveel zou je zeggen dat hij of zij weegt op deze schaal?' vroeg
Stella.
Danny leunde achterover, dacht na en zei: 'Vijfenveertig kilo.
Maximaal vijftig.'
'En hij moest het raam openmaken en erdoorheen zwaaien,' zei
Stella.
'En daarna moest hij weer naar buiten zonder de sneeuw op het
kozijn te raken,' zei Danny. 'Een acrobaat? Misschien moesten we
eens kijken bij de gymnasten en circusacrobaten?'
Stella dacht even na en zei: 'Kun je iets in het onderste deel van het
raam doen, waar we dat schroefgat hebben gevonden?'
'Iets?'
'Een rond stuk metaal?'
'Welke diameter?'
'Begin maar groot, twaalf centimeter.'
Danny zocht even. Er verscheen iets onder aan het badkamerraam.
Een cirkel.
'Kun je het van het raam laten uitsteken, zodat het recht op het
raam staat?' vroeg ze.
'Ik kan het proberen.'
Hij veranderde de cirkel en gaf hem het uiterlijk van een driedi-
mensionale ring.
Ze keken allebei naar de ketting, de ring en het raam en kwamen
tot dezelfde conclusie.
'Ga jij het zeggen of moet ik het doen?' vroeg hij.
'Haal die ninja maar weg,' zei ze.
'Prima,' zei Danny en de ninja was verdwenen.
'Maak het eind van die ketting vast aan de ring,' zei ze.

Hij was haar al voor en had het gedaan voordat ze de zin had afgemaakt.

'Guista heeft de ring vastgehaakt en is toen gaan trekken tot de ring aan de schroef eruit kwam,' zei Danny, die het liet zien op het scherm. 'Dat is er gebeurd. Het verklaart ook waarom hij een metalen ketting heeft gebruikt in plaats van een touw. Een touw zou heen en weer zwaaien in de wind. Die ring is veel gemakkelijker te pakken te krijgen met een ketting met een haak eraan. En daarna heeft hij degene die Alberta Spanio heeft vermoord laten zakken.'

'Waarom kon de moordenaar niet gewoon het raam openmaken en naar binnen klimmen?' vroeg Stella, die naar het computerscherm keek. 'Waarom moesten ze moeilijk doen met een ring en een ketting? Misschien is de moordenaar helemaal niet door het raam gekomen.'

'Waarom zou iemand al die moeite doen om het raam open te zetten als ze er geen gebruik van gingen maken?' vroeg Danny.

'Misschien om de temperatuur in de slaapkamer onder het vriespunt te brengen, zodat we het tijdstip van overlijden niet konden vaststellen?'

'Waarom zouden ze dat willen?'

Stella haalde haar schouders op.

'Misschien wilden ze het laten voorkomen alsof er iemand door het raam was binnengekomen,' zei Danny. 'Maar dat ging mis door de sneeuw.'

'We missen nog steeds iets,' zei Stella en toen moest ze niesen.

'Verkouden,' zei hij. 'Misschien griep.'

'Allergieën,' antwoordde Stella. 'We moeten Guista vinden en wat antwoorden uit hem zien te krijgen.'

'Als hij nog leeft,' zei Danny.

'Als hij nog leeft,' herhaalde Stella.

'Ik heb wat vitamine C-tabletten in mijn tas,' zei Danny. 'Wil je er een?'

'Doe maar drie,' zei ze.

Danny ging staan, maar keek nog steeds naar het beeld op het scherm.

'Wat is er?' vroeg Stella.

'Misschien hebben we het mis,' zei hij. 'Misschien is er toch iemand aan die ketting naar beneden gegaan.'

'Dat mannetje dat de receptionist bij Guista heeft gezien,' zei ze.

'Terug naar af?' zei Danny.

'Database?'

'Om dat mannetje te zoeken,' zei Danny. 'Laten we naar huis gaan en morgen opnieuw beginnen.'

Normaal gesproken had Stella zoiets gezegd als: 'Ga jij maar vast, ik moet nog een paar dingen opruimen.' Maar vanavond niet. Ze had overal pijn en het idee om naar huis te gaan was heel aanlokkelijk. Ze gingen allebei naar huis. Maar toen ze de volgende morgen terugkwamen, hadden ze informatie die hun theorie dreigde te ontkrachten.

De twee zwarte jongens die met hun handen in de lucht uit de bakkerijwagen stapten, konden niet ouder zijn dan vijftien.

De agenten hielden hun wapens gericht op de bestuurder. Een van hen was een zwarte vrouw die Clea Barnes heette. Haar partner, Barney Royce, was tien jaar ouder dan Clea en kon lang niet zo goed schieten. Hij had op de schietbaan altijd tot de middenmoot behoord. Gelukkig had hij in zijn zesentwintig jaar in uniform nooit op iemand hoeven schieten. Maar Clea had in haar vier jaar bij de politie al drie daders neergeschoten. Geen ervan was eraan overleden. Barney was van mening dat punks en dronkelappen Clea voor een gemakkelijk doelwit aanzagen. Ze hadden het mis.

'Ga weg bij die wagen,' commandeerde Barney.

'We hebben nooit niets gedaan,' zei de bestuurder op de gemelijke toon die beide agenten maar al te goed kenden.

'Nee,' zei Clea. 'Jullie hebben nooit niets gedaan. Jullie hebben iets gedaan. Waar heb je deze bestelwagen vandaan?'

De twee jongens, die allebei zwarte winterjassen droegen, maar geen mutsen of petten, keken naar de bestelwagen alsof ze hem niet eerder hadden gezien.

'Deze bestelwagen?' zei de bestuurder terwijl Barney naar voren ging om allebei de jongens te fouilleren op wapens. Ze hadden niets bij zich.

'Die bestelwagen,' zei Clea geduldig.

'Daar mogen we wel eens in rijden van een vriend,' zei de bestuurder.

'Vertel ons over die vriend,' zei Barney.

'Gewoon een vriend,' zei de chauffeur schouderophalend.

'Naam, kleur,' zei Clea.

'Een blanke gozer,' zei de chauffeur. 'Ik weet zijn naam niet.'

'Jullie weten zijn naam niet, maar hij leent jullie wel de bestelwagen uit,' zei Barney.

'Dat klopt,' zei de jongen.

'Laatste kans,' zei Clea. 'We arresteren jullie, nemen jullie vingerafdrukken en trekken jullie na, of jullie vertellen ons de waarheid en kunnen gaan. Nu meteen. Geen smoesjes.'

De jongen schudde zijn hoofd en keek zijn maatje aan.

Toen zei de tweede jongen voor het eerst iets.

'We waren in Brooklyn,' zei hij. 'Op bezoek bij wat vrienden. Onderweg naar de metro zagen wie die grote, oude witte vent. Hij strompelde wat rond voor een broodjeszaak. Het was geen buurt waar je een witte kerel verwacht, groot of niet groot.'

'Dus jullie besloten hem te beroven?' vroeg Barney.

'Dat heb ik niet gezegd. Trouwens, terwijl we stonden te praten, kwam er een taxi aan. Hij stapte in. Toen de taxi weg was, bekeken we de bestelwagen. De sleutels zaten erin.'

'Dus hebben jullie hem meegenomen,' zei Clea.

'Beter dan de metro,' zei de eerste jongen.

'Waar in Brooklyn was die broodjeszaak?' vroeg Barney.

'Op Flatbush Avenue,' vertelde de tweede jongen. 'J.V.'s Deli.'

'Nou,' zei Clea. 'We willen jullie best laten lopen als jullie niet ergens voor gezocht worden, maar dan moeten jullie wel de grote vraag beantwoorden. Wat voor taxi was het en hoe laat werd die blanke man opgehaald?'

De tweede jongen glimlachte en zei: 'Een van die Green Cabs, nummer 4304. Die heeft hem een paar minuten na negenen opgepikt.'

Aiden had een douche genomen, haar haren gewassen, haar warmste pyjama aangetrokken en de televisie in haar slaapkamer aangezet. Over een halfuur begon *The Daily Show*. Intussen zette ze CNN aan en ging gemakkelijk zitten met een schrijfblok. Af en toe keek ze op naar de tekst die onder aan het scherm voorbij rolde.

Op het schrijfblok schreef ze:

Een: bel Cormiers agent. Vraag naar .22 die ze haar gegeven zou hebben. Vraag naar de manuscripten die ze inlevert. Op diskette? Uitdraai?

Twee: is er genoeg voor een huiszoekingsbevel voor Cormiers appartement? Bespreek met Mac.

Drie: meer onderzoek naar achtergrond Cormier.

Vier: controleer alle huurders die de lift gebruiken. Kijk of ze een .22 hebben. Kan het mis hebben over Cormier. Denk het niet.

Er was niet veel over geweest van de kogel, maar genoeg om hem te vergelijken met een wapen als ze er een konden vinden.

Ze luisterde half naar *The Daily Show* en probeerde intussen te bedenken of ze soms iets had gemist. Ze maakte nog een paar aantekeningen toen het programma was afgelopen en schakelde over naar ABC om te kijken wat er op *Nightline* was. Het ging over de vraag of seriemoordenaars slechte mensen waren. De gasten waren een advocaat, iemand die psychologische profielen opstelde voor de FBI, een psycholoog en een psychiater.

Aiden zette de televisie met haar afstandsbediening uit. Ze wist dat het kwaad bestond. Ze had het gezien, ermee aan tafel gezeten. Er was een verschil tussen mensen die gek waren en mensen die slecht waren.

Slechtheid was geen acceptabele diagnose voor een moordenaar. Er was geen klinische beschrijving voor, het had geen nummer. Er stonden tientallen psychologische variaties in de handboeken over seriemoordenaars, mensen die een- of tweemaal op brute wijze iemand ombrachten en kinderverkrachters, maar geen ervan hield rekening met de realiteit dat mensen soms gewoon slecht konden zijn.

Ze wilde daar niet over nadenken voordat ze wat had geslapen, wilde niet nog eens de argumenten voor de doodstraf doornemen. Als iemand echt slecht was, kon hij niet behandeld of genezen worden. Je sloot ze voor altijd op als je ze te pakken had, of je executeerde ze.

Ze deed het licht uit en sliep bijna meteen.

Big Stevie gaf de chauffeur niet het exacte adres waar hij heen moest. Hij wilde niet dat hij het opschreef en het zich herinnerde. In plaats daarvan noemde hij een adres een straat verderop. Hij had liever twee straten verderop gezegd, maar hij vertrouwde zijn kloppende been niet.

Het was een risico. Stevie had het adres steeds in zichzelf herhaald en was bang het kwijt te raken als hij de chauffeur een ander adres opgaf, maar hij moest voorzichtig zijn. Meneer Marco zou willen dat hij voorzichtig was.

Toen de auto stopte, betaalde Stevie en gaf hij de chauffeur een behoorlijke fooi, niet te groot en niet te klein. Stevie deed zijn uiterste best om niet te hinken of een pijnlijk gezicht te trekken om te voorkomen dat de chauffeur zich hem zou herinneren.

De chauffeur vertrok zodra Stevie het portier had dichtgedaan. Hij vroeg niet of hij moest wachten. Stevie bevond zich in een vaag bekend deel van Brooklyn Heights. Er liep niemand op de stoep en er reden geen auto's voorbij in de smalle straat. Bakstenen huizen met twee verdiepingen en granieten gebouwen stonden dicht op elkaar. Naast hopen sneeuw lagen stapels vuilniszakken. Beide kanten van de straat leken wel versterkt met provisorische muren van sneeuw en vuilnis.

Stevie bevond zich tegenover het gebouw waar hij moest wezen. Hij hinkte ernaartoe en werd met elke stap zwakker, en hij wist dat hij weer bloedde en dat hij waarschijnlijk bloed op de autostoel had achtergelaten. Niets aan te doen.

Hij wilde net de straat oversteken toen hij een andere auto zag staan. Hij stond een eindje verderop geparkeerd, aan zijn kant van de straat. De ramen waren beslagen. De motor draaide zachtjes.

Hij dacht dat hij twee gestalten voorin zag, maar door de beslagen ramen kon hij er niet zeker van zijn. Hielden ze de deur van het huis waar hij naartoe moest in de gaten?

Politie? Nee, dat kon niet. Misschien zaten ze niet op hem te wachten. Misschien waren ze op zoek naar iemand anders of zaten ze gewoon te praten of... Het ging er bij Stevie niet in. Wat er die dag me hem gebeurd was, had hem te denken gegeven. Hij liet liever anderen voor hem denken, mensen die hij kon vertrouwen, zoals Marco, maar dat was het probleem. Hij begon Marco te wantrouwen.

Denk na, zei hij tegen zichzelf terwijl hij een donker portiek in stapte, van waaruit hij de twee mensen in de auto in de gaten kon houden.

Ik heb het karwei in het hotel gedaan. Ik heb een agent vermoord. Ik heb een andere agent in elkaar geslagen. Marco zou bang kunnen zijn dat ik ga praten als ik word opgepakt. Hij zou beter moeten weten, maar hij zou zich zorgen kunnen maken. Kan ik hem dat kwalijk nemen? Ja.

Hij kon niet langer wachten. Stevie moest ergens heen waar hij opgelapt kon worden. Hij bloedde weer en niet zo'n beetje.

Zou hij op die Lynn Contranos gokken? Hij kende haar niet. Kon hij ergens anders heen? Hij had niet veel keus. Nou, misschien één, maar dat wilde hij vermijden als hij kon. Hij stak de straat over en liep naar het huis. Hij keek niet achterom, maar hij hoorde het portier achter zich open en dicht gaan.

Hij zag de naam op een plastic plaatje aan de stenen muur. LYNN CONTRANOS, MASSAGETHERAPEUTE. Hij drukte op de knop en voelde dat de twee mannen naar hem toe kwamen. Geen antwoord. Hij drukte nog eens op de knop en toen hoorde hij een vrouwenstem door de kleine luidspreker. 'Ja?'

'Steven Guista,' zei hij.

'Ik kom eraan,' zei ze met gedempte stem en de verbinding werd verbroken.

Kende hij die stem? Stevie wist het niet zeker. Een paar seconden later hoorde hij een metalen ping in de voordeur. Hij stak zijn hand uit naar de deurknop en voelde dat de twee mannen zich nu vlak achter hem bevonden. In plaats van de deur open te doen, draaide Big Stevie zich snel om en overviel ze, twee mannen, allebei veel jonger dan Stevie en geen van beiden zo groot als hij. Een van de mannen had een pistool in zijn rechterhand.

Stevie herkende ze allebei. Een van hen was bakkersassistent bij Marco's. De andere was beveiligingsbeambte bij de bakkerij. Die laatste had het pistool.

Stevie aarzelde geen seconde. Zijn vuist sloeg diep in de buik van de man met het pistool, die voorover sloeg. Tegelijkertijd pakte Stevie met zijn vrije hand de hals van de tweede man, die iets uit zijn zak wilde halen.

Stevie vergat de pijn in zijn been en concentreerde zich erop in leven te blijven.

11

'Wie is het?' vroeg Danny de volgende morgen, nadat Stella de e-mail op het scherm voor haar had gelezen.

Danny had niet goed geslapen. Hij had gedroomd van een ketting die in de koude wind bungelde en dat hij daar langzaam langs naar beneden gleed en met alle macht probeerde vast te houden, hoewel zijn handen weggleden en hij wist dat hij uiteindelijk aan het eind van de ketting zou komen en in de duisternis zou vallen. Het was een lange droom. Hij herinnerde zich dat hij om hulp had geroepen, maar dat niemand hem op die afstand kon horen in de duisternis en de fluitende wind. Hij was blij geweest dat hij om vijf uur op kon staan en naar zijn werk kon gaan.

'Jacob Laudano,' zei Stella.

Danny keek over haar schouder en las hardop: 'Jacob de Jockey?'

'Zo noemen ze hem,' zei ze.

'Is hij jockey?'

'Vroeger wel,' zei ze.

'Dat betekent...' begon Danny.

'Dat hij waarschijnlijk klein is,' zei Stella. 'Laat me eens...'

Ze schoof met de muis en sloeg nog wat toetsen aan.

'De laatste keer dat hij gearresteerd is, dat was afgelopen augustus, was hij één meter zesenveertig en woog hij iets meer dan veertig kilo. Kijk maar naar zijn strafblad.'

Danny keek. De lijst was lang en omvatte een arrestatie voor het neersteken voor een prostituee en vijf andere arrestaties voor kroeggevechten, waarbij stuk voor stuk messen waren getrokken.

'Het is bekend dat Laudano een maatje is van Steven Guista,' zei Stella.

'Wat doen we nu?' vroeg hij.

'We hangen veertig kilo gewicht aan die ketting,' zei ze. 'Dan laten we hem ruim drieënhalve meter zakken en kijken we of hij het houdt.'

'We hebben meer kettingen nodig,' zei Danny.
'We hebben meer kettingen nodig,' beaamde Stella. 'Maar dat kan wachten. Guista's bestelwagen is vannacht in beslag genomen. Hij staat op het politieterrein op Staten Island.'
'Dus we gaan daar eerst heen?' vroeg Danny.
Stella schudde haar hoofd en zei: 'Eerst gaan we naar Brooklyn.'
'Brooklyn,' herhaalde Danny. 'Wat moeten we daar?'
'Guista heeft gisteren een taxi genomen naar Brooklyn,' zei Stella. Ze pakte een rapport dat naast haar op haar bureau lag en gaf het aan Danny. 'We gaan bij het taxibedrijf navraag doen. Kijken waar hij naartoe is gegaan. Dat moet niet moeilijk zijn. Een van de jongens die een eindje zijn gaan rijden met Guista's bestelwagen herinnerde zich Guista, de tijd en de auto.'
'Het wordt een drukke dag,' zei Danny. 'En wat doen we aan Laudano, de jockey?'
'Daar houdt Flack zich mee bezig,' zei ze.
'Die hoort in bed te liggen,' zei Danny.
'Liever nog in het ziekenhuis,' zei Stella. 'Maar daar is hij niet. Hij is aan het werk. We gaan.'
'Nu we het toch over ziekenhuizen hebben,' zei hij, 'jij ziet er ook niet echt beter uit.'
'Niets aan de hand.'
'Je neus is rood,' zei hij. 'Je hebt koorts.'
Ze negeerde zijn commentaar, zette de computer op de wachtstand, schoof een stapeltje rapporten in een map en stond op.
'De jockey,' zei Danny bijna tegen zichzelf. 'Wie had dat gedacht? Het slaat nergens op.'
'Waarom niet?' vroeg Stella.
'Een misdadige bakker huurt een circusartiest in om een getuige te vermoorden? De sterke man en de…' vroeg Danny.
'De dwerg,' maakte Stella de zin af.
'Waarom?' vroeg Danny. 'Ze moesten wel opvallen.'
Stella nam haar koffertje in de ene hand en haar map in de andere. Danny nam haar plaats achter de computer in.
'Misschien moeten we juist denken dat het een circusact is,' zei ze. 'Een afleidingsmanoeuvre?'

'Het stinkt,' zei ze met een glimlach.

Danny kreunde.

Stella verliet het lab, liep naar de lift en drukte op de knop voor de hal. Ze hoestte met een rasperig geluid.

'Waarom?' zei de agent van Louisa Cormier, Michelle King, een nerveuze vrouw van achter in de veertig. Net als Louisa was ze keurig verzorgd, slank en zakelijk gekleed in een zwart pakje en een witte blouse. Ze was niet zo mooi als haar cliënt, maar dat compenseerde ze met een knappe, zelfbewuste strengheid. De kamer rook naar sigaretten en een luchtverfrisser met bloemengeur.

Aiden zat in een stoel in Kings kantoor op Madison Avenue. King speelde met een potlood en tikte er ongeduldig mee tegen haar mahoniehouten bureau.

'Waarom?' vroeg Michelle King nog eens.

Mac keek haar tien seconden aan en zei: 'We kunnen naar ons lab gaan en er daar over praten. Ik geloof niet dat u het daar aangenaam zult vinden. Lijken en bewijsmateriaal van dingen die de meeste mensen niet graag aanraken of zelfs maar zien.'

'Ik heb Louisa inderdaad geadviseerd om een pistool te kopen en dat geladen in haar appartement te bewaren,' zei Michelle King en ze pakte een sigaret uit een pakje in een van haar bureauladen. 'U vindt het toch niet erg?' vroeg ze, terwijl ze de sigaret met onvaste hand omhooghield.

'We zullen u er niet voor arresteren, als u dat soms wilt vragen,' zei Mac. Roken was in New York verboden in kantoorgebouwen. 'Trouwens, veel mensen met wie wij te maken hebben roken,' zei Mac. 'We aanvaarden het. Een van de risico's van het vak.'

'Meeroken?' vroeg Michelle King terwijl ze haar sigaret aanstak met een verzilverde aansteker. 'Dat is een verzinsel van anti-rokenfanatici die niets beters te doen hebben.'

'En regelrechte moord,' zei Mac. 'Is dat ook een mythe?'

De agent keek naar de zwijgende Aiden, die haar nog zenuwachtiger leek te maken dan Mac met zijn vragen.

'Goed,' zei King. 'Ik heb haar geadviseerd een pistool te kopen en zelfs welk soort, net zo een als ik heb.'

'Mogen we die van u zien?' vroeg Mac.

'Denkt u soms dat ik die man heb neergeschoten?' vroeg ze, terwijl ze een rookpluim uitblies en even ophield met het potlood te tikken.

'We weten dat hij dood is,' zei Mac.

'Waarom zou Louisa of ik die man in godsnaam willen vermoorden? Ik weet niet eens wie hij was.'

'Zijn naam was Charles Lutnikov,' zei Aiden. 'Hij was schrijver.'

'Nooit van gehoord,' zei King en ze maakte haar sigaret uit.

'Uw naam en telefoonnummer stonden in zijn adresboek,' zei Mac.

'Mijn...' zei King.

'Hij heeft vorige week drie keer uw kantoor gebeld,' zei Aiden. 'Dat staat op zijn telefoonrekening.'

'Ik heb hem nooit gesproken,' hield King vol.

'Uw secretaresse dan?' vroeg Mac.

'Wacht eens, de naam zegt me toch wel wat,' zei King. 'Ik geloof dat hij misschien die persoon is die wilde dat ik hem terugbelde. Amy, mijn assistente, zei steeds dat hij had gezegd dat hij me iets belangrijks moest vertellen.'

'Maar u hebt hem niet teruggebeld?'

Ze haalde haar schouders op.

'Amy zei dat hij zenuwachtig klonk en heel erg aandrong en... nou, ik ben agent. Er bellen een heleboel idioten die met me willen praten over hun ideeën voor een boek. Amy's taak is juist om die lui af te schepen.'

'Maar deze idioot woonde in hetzelfde flatgebouw als een van uw grootste cliënten.'

'Mijn grootste cliënt,' corrigeerde King. 'Daar was ik me niet van bewust.'

Plotseling deed ze haar bureaula open en haalde er een klein pistool uit, dat ze op Aiden richtte. Geen van beide rechercheurs vertrok een spier.

'Mijn pistool,' zei King, die het over het bureau heen aangaf.

Mac pakte het aan en overhandigde het aan Aiden, die het bekeek en zei: 'Nooit mee geschoten.'

'Het is niet eens geladen,' zei King. 'Het is net het dekentje dat ik als kind had. Ik hou het bij me omdat het me een behaaglijk en veilig gevoel verschaft en doe net alsof dat gevoel echt is.'

'Wat gebeurt er met de manuscripten van Louisa Cormier nadat u die van haar ontvangen hebt?' vroeg Mac.

'Ze geeft me nooit manuscripten,' zei King. 'Ze stuurt me een e-mail met het manuscript als bijlage. Dat lees ik dan en daarna stuur ik het door naar haar uitgever. In Louisa's werk hoeft maar heel weinig gedaan te worden door mij of de uitgever.'

King pakte het potlood weer op, wilde ermee gaan tikken, bedacht zich en legde het weer neer.

'En de eerste drie boeken?' vroeg Mac.

King keek hem behoedzaam aan.

'De eerste drie boeken waren... een beetje ruw,' zei King. 'Daar moest wel wat aan gedaan worden. Hoe wist u dat?'

'Ik heb ze gisteravond gelezen, net als het vierde en het vijfde,' zei Mac. 'Toen was er een hele verandering opgetreden.'

'Ik kan tot mijn genoegen zeggen dat Louisa's werk met haar toenemende ervaring en zelfvertrouwen steeds beter is geworden,' zei King.

'Bewaart u haar boeken op uw harddrive?' vroeg Mac.

'Ik heb al Louisa's boeken op diskette staan en ook kopieën op papier,' zei King.

'Ik zou die diskettes graag willen lenen,' zei Mac.

'Ik zal ze door Amy voor u laten kopiëren,' zei ze, 'maar waarom zou u...'

'We zullen u verder niet ophouden,' zei Mac en hij stond op.

Ook Aiden kwam uit haar stoel.

King bleef zitten.

'U hoort nog van ons,' zei Mac terwijl hij naar de deur liep.

'Ik hoop echt van niet,' zei King, die een sigaret pakte.

Toen ze langs de receptie waren gelopen en in de hal stonden, zei Aiden: 'Ze liegt.'

'Waarover?'

'Over die eerste boeken,' zei Aiden.

Mac knikte.

'Je had het al gemerkt,' zei ze.

'Ze beschermt de kip met de gouden eieren,' zei Mac.

'Dus?' vroeg Aiden.

'Laten we naar Louisa Cormier gaan.'

Stella zag een rode bloedvlek met de vorm van een amoebe op een lage hoop sneeuw op de stoep, naast een zwarte plastic afvalzak.

De chauffeur, een Nigeriaan die George Apappa heette, had haar naar de plek gebracht waar hij de man had afgezet die op zijn achterbank had zitten bloeden. George had het bloed gezien zodra hij thuiskwam in Jackson Heights. Hij kon het niet missen. De man had een plasje op de vloer en een donkere, nog natte veeg op de bank achtergelaten.

Het had George bijna een uur gekost om de bloedvlekken weg te krijgen. Om twee uur in de morgen was hij bij zijn vrouw in bed gestapt en om zes uur was de telefoon weer gegaan; het was de centrale met het bericht dat hij meteen naar de garage moest komen. Hij vertelde Stella dat allemaal met de stem van een man die van plan was geweest tot aan het middaguur uit te slapen, maar die zich in plaats daarvan uit bed had moeten slepen en al bijna had verwacht dat hij ontslagen zou worden. Stella had het gevoel dat het briefje van twintig dat ze hem had toegestopt hem wel over zijn slaapgebrek heen zou helpen.

Stella voelde dat hij haar vanuit de auto in de gaten hield terwijl ze haar neus afveegde, een foto nam van de berg sneeuw en vervolgens met een schepje wat van de sneeuw opschepte en het in een plastic zakje stopte.

Ze liep langzaam over de stoep en bleef om de paar passen staan om nog een foto te nemen. Het bevroren bloedspoor was redelijk gemakkelijk te volgen. Er waren nog maar weinig voetgangers over de stoep gelopen.

Stella legde de rug van haar linkerhand even tegen haar voorhoofd en voelde zowel transpiratievocht als koorts. Ze had een thermometer in haar tas, maar die was bestemd voor de doden. Ze had in het lab drie aspirines genomen en een glas sinaasappelsap. Maar ze had niet veel hoop dat het zou helpen.

Het kostte haar vier minuten om de juiste deur te vinden. Er zaten bloedspetters op de deur, geen grote, maar wel zichtbaar. Er zat ook bloed op de drempel en een geelbruine substantie die op braaksel leek. Ze maakte foto's, nam een monster van de geelbruine viezigheid en wilde net gaan staan toen ze iets wits zag in de hoek van de tree. Ze knielde weer. Het was een tand, een bebloede tand. Ze deed hem in een zakje en stond op om naar de namen van de bewoners van het gebouw te kijken, die in een rijtje wit op zwart aan de rechterkant van de deur hingen. De namen zeiden haar niets. Ze schreef ze alle zes op in haar notitieboekje.

Wat hier ook gebeurd was, had volgens de gegevens van de taxichauffeur vlak voor tienen plaatsgevonden. Het was mogelijk dat iemand in het gebouw iets had gehoord van de gebeurtenissen die ertoe hadden geleid dat iemand moest braken en een redelijk gezond uitziende tand kwijtraakte.

Stella wreef in haar handen en belde Danny Messer in het lab.

'Controleer deze namen,' zei ze. 'Heb je een pen?'

'Je klinkt verschrikkelijk,' zei hij.

'Ik klink verschrikkelijk,' beaamde ze. 'De namen.'

Ze las de namen langzaam voor en spelde ze stuk voor stuk.

'Ik heb ze,' zei hij.

'Controleer ze allemaal. Bel me terug als je iets vindt. Misschien was Guista gisteravond op weg naar een van deze mensen, maar ging er iets mis.'

'Wat dan?' vroeg hij.

'Ik stuur een taxichauffeur met mijn monsters. Betaal hem even, wil je. Ik heb hem al een fooi gegeven.'

Stella probeerde een kuchje te onderdrukken. Het lukte haar niet.

'Stella...' begon Danny, maar ze onderbrak hem.

'Ik moet gaan.'

Ze verbrak de verbinding en ging naar de auto, waar George Apappa met zijn hoofd achterover en dichte ogen zat te wachten. Ze deed haar koffertje open, deed de digitale diskette met de foto's, de bloedmonsters, de bebloede tand en een klodder braaksel in hun aparte zakjes in een geïsoleerde tas en ritste die dicht. Toen deed ze het portier aan de bestuurderskant open.

George werd wakker en had de tas in zijn hand voordat hij iets kon zeggen.

Ze gaf hem het adres van het lab en zei dat hij de zak aan Daniel Messer moest geven, die hem zou opwachten. Messer zou hem betalen. Ze gaf hem bovendien nog een biljet van tien dollar.

Ze zag dat George even op het punt stond te vragen wat er allemaal aan de hand was, maar hij deed het niet. Hij zette de tas op de stoel naast hem en Stella deed het portier dicht.

Toen Louisa Cormier dit keer de deur opendeed voor Mac en Aiden, was ze niet zo opgewekt en fris als de andere keren. Ze zag eruit alsof ze niet had geslapen en droeg een soort oversized gebloemde jurk. Haar kapsel was netjes, net als haar make-up, maar niet zo perfect als een dag eerder.

Ze deed een stap achteruit om hen binnen te laten.

'Michelle, mijn agent, belde al om te zeggen dat ik jullie kon verwachten,' zei ze.

Mac noch Aiden zei iets.

'Jullie denken dat ik die man in de lift heb vermoord,' zei ze kalm.

Mac en Aiden bleven ondoorgrondelijk.

'Ga alstublieft zitten,' zei Louisa. 'Koffie? Aan goede manieren ga je niet dood. Een ongelukkige woordkeuze, maar…'

'Nee, dank u,' zei Mac namens hen allebei.

Ze stonden net achter de deur.

'Nou, ik wilde net een kopje nemen, dus als u het niet erg vindt…' zei ze en ze liep naar de keuken. 'Ga alstublieft zitten.'

Mac en Aiden liepen naar de tafel bij het raam. Er lag een kille mist over Manhattan. Behalve een paar lichtjes die door het dichte grijs heendrongen en de toppen van de wolkenkrabbers die boven de wolken uitstaken, was er niet veel te zien.

'Neem me niet kwalijk,' zei Louisa Cormier toen ze met een kop hete koffie in haar hand in dezelfde stoel als de dag tevoren aan tafel ging zitten. 'Ik heb de hele nacht zitten werken. Michelle heeft jullie misschien al verteld dat ik aan het eind van de week een boek moet inleveren. Niet dat mijn uitgever er iets aan kan doen als ik te laat ben, maar ik ben nooit te laat. Schrijven is een baan als je het doet om de kost te verdienen. Ik vind het verkeerd om te laat op je werk te komen. Sorry, ik dwaal een beetje af. Ik ben moe en ik heb net te horen gekregen dat ik verdacht word van moord.'

'Kruitsporen,' zei Mac.

'Ik weet wat dat zijn,' zei ze. 'Sporen van kruit die achterblijven als er een wapen is afgevuurd.'

'Ze zijn moeilijk weg te krijgen,' zei Aiden.

Beide rechercheurs keken naar de handen van Louisa Cormier. Ze waren rood van het boenen.

'Wilt u mijn handen controleren op kruitsporen?' vroeg ze.

'Kruitsporen kunnen van iemands handen worden overgebracht op voorwerpen die die iemand aanraakt,' zei Mac.

'Interessant,' zei Louisa, die van haar koffie dronk.

'Toen we hier gisteren waren, hebt u een paar dingen aangeraakt,' ging Mac verder.

Nu begon Louisa op te letten.

'Hebt u dingen meegenomen uit mijn appartement?' vroeg ze.

Mac deed alsof hij de vraag niet gehoord had. Hij gaf haar zo weinig mogelijk. Hij noch Aiden had iets meegenomen.

'U hebt onlangs een wapen afgevuurd,' zei Aiden.

Mac dacht dat hij iets van een glimlach op het gezicht van de schrijfster bespeurde.

'Dat kunt u niet weten,' zei Louisa. 'U hebt mijn handen niet onderzocht en ik denk niet dat u zonder huiszoekingsbevel een kledingstuk van mij zult hebben meegenomen.'

Aiden en Mac antwoordden niet.

'Maar,' zei Louisa, 'u mag dat best doen. Ik denk dat u kruitsporen zult vinden op mijn rechterhand. Ik heb twee dagen geleden, net voor de storm, met een pistool geschoten op een schietbaan hier in de buurt. Ik geloof dat ik mijn advocaat maar eens moest bellen,' zei Louisa met een glimlach.

'Dan komt de pers erachter,' zei Mac. 'Maar u hebt het recht een advocaat te bellen voordat u nog meer vragen beantwoordt.'

Louisa Cormier aarzelde.

'Ik heb al gezegd dat ik inderdaad geschoten heb,' zei ze. 'Ik test alle wapens die in mijn boeken worden gebruikt. Het gewicht, hoeveel

lawaai ze maken, de terugslag, de omvang. Ik ben twee dagen geleden op de schietbaan geweest. Dat heb ik u al verteld. Drietchs op
58th Street. Ik zal u het adres geven. Dan kunt u het navragen bij
Mathew Drietch.'

'Wat was het voor wapen?' vroeg Aiden.

'Een .22,' zei ze.

'Net als het pistool in uw bureau,' zei Mac.

'Precies. Ik heb besloten te schrijven over een wapen zoals ik zelf
heb,' zei ze.

'Lutnikov is vermoord met een .22,' zei Mac.

'Ik heb de kogel gevonden onder in de liftschacht,' zei Aiden.

'We zullen het wapen vinden,' zei Mac. 'En dan bewijzen we dat de
kogel daarmee is afgeschoten. U hebt gezegd dat u geen ander
pistool hebt dan het exemplaar dat u ons gisteren hebt laten zien,'
zei Mac.

'Dat is ook zo,' antwoordde Louisa. 'Mathew Drietch heeft eenzelfde pistool. Hij heeft honderden wapens. Je kunt zelf kiezen
welke je wilt gebruiken. Meneer Drietch heeft het me met alle ple-
zier uitgeleend.'

'U weet zeker niet waar die .22 nu is?' vroeg Mac.

'Ik neem aan dat hij veilig is weggeborgen op de schietbaan,' zei
Louisa.

'Vindt u het erg als we uw appartement doorzoeken?' vroeg Mac.
'We kunnen een huiszoekingsbevel halen.'

'Ik vind het inderdaad erg als u mijn appartement doorzoekt,' zei
ze. 'Maar of u nu uw huiszoekingsbevel haalt en het doet, dan zult
u hier toch geen ander wapen vinden dan dat in mijn bureau, waarvan u weet dat er niet recent mee is geschoten.'

'Nog één vraag,' zei Mac.

'Geen vragen meer,' zei Louisa mild. 'Mijn advocaat heet Lindsey
Terry. Hij staat in het telefoonboek. Het spijt me dat ik een beetje
narrig ben, maar ik heb niet geslapen en...'

'Ik heb afgelopen nacht een paar van uw boeken gelezen,' zei Mac.

'O,' zei Louisa. 'Welke?'

'*Andervrouws nachtmerrie, Vrouw in het donker, De plaats van een
vrouw,*' zei Mac.

'Mijn eerst drie,' zei Louisa. 'Vond u ze goed?'

'Na die drie zijn ze beter geworden,' zei hij.

'Ik heb altijd gevonden dat die eerste drie de beste waren,' zei Louisa. 'Hebt u de andere ook gelezen?

'Twee ervan,' zei Mac.

'U bent een snelle lezer.'

'Ik heb over grote delen alleen mijn blik laten gaan. Ik laat uw boeken bekijken door een professor in de linguïstiek,' zei Mac.

'Waarom in godsnaam?' vroeg Louisa.

'Ik denk dat u dat wel weet,' zei Mac.

'U hebt de naam van mijn advocaat,' zei Louisa somber. 'Als u me nu wilt excuseren, ik moet mijn boek afmaken en wat rusten.'

Toen Aiden en Mac in het halletje voor de lift stonden, zei Aiden: 'Zij heeft het gedaan.'

'Inderdaad,' beaamde Mac. 'Nu moeten we het nog bewijzen.'

Ze liepen naar de voordeur en hun voetstappen weerkaatsten kil. Een meter of tien verderop stond een magere man van achter in de twintig of voor in de dertig. De bleke, gladgeschoren man met zijn uitdrukkingsloze gezicht, spijkerbroek, blauwe T-shirt en donzen Eddie Bauer-jack had zijn handen voor zich gevouwen en keek naar de naderende Aiden en Mac.

Toen de rechercheurs nog maar een paar meter van hem vandaan waren, ging hij voor hen staan.

'U onderzoekt de moord op Charles Lutnikov,' zei hij langzaam en met effen stem.

'Dat klopt,' zei Mac.

'Ik heb hem vermoord,' zei de man.

Hij trilde.

'Hoe gaat het?' vroeg Stella, die een eindje van Danny bleef staan zodat ze niet op hem zou ademen.

Ze was ziek, dat was wel zeker. Koorts, koude rillingen, lichte misselijkheid.

De CSI'ers wisten alles over misselijkheid en Stella vormde daar geen uitzondering op. Ze droeg zelden een masker op een plaats delict, hoe smerig de geur ook was, hoe lang een lijk ook in een bad had gelegen en kans had gehad om op te zwellen en de vertrouwde geur van verrotting had kunnen afgeven.

De laatste keer dat ze een onvoorziene oprisping van gal had bedwongen, was twee weken eerder geweest, toen zij en Aiden naar het huis van een poezenvrouwtje in East Side waren geweest. Er had een geüniformeerde agent aan de deur gestaan met een trek van afkeer op zijn gezicht die hij niet probeerde te verbergen.

Stella en Aiden waren naar binnen gegaan en waren overvallen door de stank, het geluid van tientallen mauwende katten en de hitte van de radiatoren langs de muren. De donkere kamer had geroken naar dood, urine en uitwerpselen.

'Laten we ons maar niet groot houden,' had Stella gezegd.

Aiden had geknikt en ze hadden de maskers in hun koffertje opgezet en waren naar de slaapkamer gegaan, waar ze het lijk hadden aangetroffen van een oude vrouw in een bedrukte jurk. Op haar borst lag opgedroogd braaksel. Haar grote ogen staarden naar het plafond. Er kroop iets in de hoek van haar mond en op haar opgezette buik zat een grote, oranje kat, die naar de twee vrouwen blies.

'Vraag even aan de agent of hij de dierenbescherming heeft gebeld,' zei Stella. 'Zo niet, laat het hem nu dan doen.'

Daarmee en met het geluid van haar eigen stem herinnerde Stella zichzelf eraan dat dit haar werk was, dat het gedaan moest worden en dat zij het beter kon dan wie ook.

En dus had ze een uur doorgebracht in al die viezigheid, die zich al lang voor de dood van de vrouw was gaan ophopen. Een onderzoek van het lichaam door Hawkes toonde aan dat de vrouw, die eruitzag alsof ze gewurgd was, in plaats daarvan was overleden aan een hartaanval, waardoor ze in haar eigen braaksel gestikt was.

Danny stond met zijn rug naar haar toe. Hij hield een testbuisje met een kurk erop en een gele, dikke vloeistof erin omhoog.

'Voor de allerlaatste keer,' zei hij. 'Je bent ziek. Je hoort in bed te liggen.'

'Het is een griepje,' zei ze.

Hij schudde zijn hoofd.

'Ik kom er wel overheen. Ik heb wat thee gehad,' zei ze.

'Een kleine stap voor de mensheid,' zei hij.

Stella negeerde hem verder en vroeg: 'Wat heb je gevonden?'
'Dat degene die dit braaksel heeft geproduceerd zijn eetpatroon zou moeten veranderen,' zei Danny. 'Hij gebruikt zijn maag om vet in op te slaan en te verwerken. Hij heeft zowel peperoni als een of andere worst gehad en ook een grote hoeveelheid pasta met een pittige saus, die ik op een schaal van een tot tien een *ah caramba* zou geven.'
'Danny,' zei Stella met amper verborgen ongeduld.
'Meel,' zei Danny. 'Onbewerkt, ongebleekt. Deze vent heeft meel ingeademd.'
'Heb je het meel onderzocht?' vroeg ze terwijl ze moeite deed om niet te snuiven.
'Sporen in het braaksel. Marco's Bakery. Precies hetzelfde als in onze monsters,' zei hij.
'En de rubbersporen in de gang van de bakkerij zijn echt afkomstig van de hielen van Colliers schoenen?' vroeg Stella.
'Alle sporen leiden naar Marco's Bakery,' zei hij.
Hij zette het buisje neer en draaide zich naar haar om.
'Mag ik een klinische observatie maken?' zei hij. Hij wachtte niet op antwoord. 'Je neus is zo rood als een maraschinokers.'
'Stella, de clown van de technische recherche,' zei ze.
'Ik meen het,' zei Danny. 'Je hoort...'
'Ik dacht dat je zei dat je klaar was met doktertje spelen,' zei ze.
Danny haalde zijn schouders op.
'Wil je weten hoe het met het bloed zit?' vroeg ze.
Hij knikte.
'Zoals verwacht zijn de meeste monsters van de stoep en uit de portiek van Guista afkomstig,' zei ze. 'Hij verliest veel bloed. Als dat al niet gebeurd is, raakt hij binnenkort buiten bewustzijn als hij niet naar een dokter gaat. Maar er is ook bloed bij van iemand anders.'
Danny ging op de kruk zitten. Stella liet zich langzaam op een andere zakken.
'Guista wordt door Flack in zijn been geschoten,' zei hij. 'Hij rijdt met zijn bestelwagen naar Brooklyn, laat de wagen daar achter voor een broodjeswinkel en neemt een taxi. Hij stapt uit en loopt een half blok. Iemand staat hem op te wachten.'

'En die iemand krijgt een verrassing,' zei Danny. 'Volgens mij heeft Guista hem een flinke klap verkocht. Hij braakt, bloedt en raakt een tand kwijt. Guista is weer op de loop. Of een langzame wandeling.' Stella knikte en zei: 'Zoiets. De jongens die de bestelwagen hebben meegenomen, zeiden dat hij had getelefoneerd. Heb je dat telefoontje nagetrokken?'

Danny schudde zijn hoofd. 'Dat zal ik nu doen. Ga jij maar naar huis.'

De blik die ze hem toewierp, deed Danny besluiten zijn pogingen om Stella zover te krijgen dat ze voor zichzelf zorgde maar op te geven. Eindelijk.

'Heb je de namen van de mensen in dat gebouw nagetrokken?'

'Ik dacht dat je het nooit zou vragen,' zei Danny. 'Op één na zijn ze allemaal in aanraking geweest met de politie.'

'Dus...' begon Stella.

'De ene zonder strafblad is ene Lynn Contranos,' zei hij.

'De zelfvoldaanheid druipt van je gezicht,' zei Stella.

'Zelfvoldaanheid?'

'Dat is uit een film van Hitchcock,' zei ze terwijl ze haar neus afveegde. 'Wat is er met haar?'

'Lynn Contranos, alias Helen Grandfield,' zei hij. 'De vertrouwde assistent van Dario Marco.'

Stella knikte.

'Maar dat is nog niet alles,' zei Danny, die gretig zijn bril goed duwde. 'Voordat Helen Grandfield met Stanley Contranos trouwde, die tien tot twintig jaar uitzit voor doodslag, was ze Helen Marco, de nicht van Anthony Marco, die nu terecht moet staan. Dario Marco is dus haar vader.'

'Alle wegen leiden naar Marco's Bakery,' zei Stella. 'Laten we daar nog maar eens op bezoek gaan.'

'Zullen we wat agenten meenemen?' vroeg hij.

Stella knikte en pakte het plastic potje met pillen uit haar zak die Sheldon Hawkes haar nog geen uur eerder had gegeven.

'Je wordt er misschien wel moe van,' had Hawkes gezegd, 'maar het verdooft ook.'

Ze maakte het potje open.

De naam van de jongeman die had bekend Charles Lutnikov te hebben vermoord, was Jordan Breeze. Hij woonde op de tweede verdieping van de Belvedere Towers in een studio. Breeze was afgestudeerd aan de Drexel University en was computerprogrammeur voor een Indisch bedrijf op 55th Street. Hij moest softwareprogramma's schrijven om het universum in kaart te brengen. Mac keek van de map in zijn handen recht in de ogen van Jordan Breeze en toen weer naar de map. Breeze was nog nooit in aanraking geweest met de politie en behoorde niet tot radicale groeperingen. Nadat hij de buren had ondervraagd, was Mac ervan overtuigd dat hij een rustige huurder was die altijd een 'goedemorgen' voor anderen had. Maar hij was de laatste paar maanden steeds minder gezien. Een paar andere huurders hadden hem twee straten verderop bij een Starbucks op zijn computer zien werken en een *Grande Latte* zien drinken, maar de laatste tijd niet. Mac zette de bandrecorder aan.

'Weet je zeker dat je geen advocaat wilt?' vroeg Mac.

'Heel zeker,' zei Breeze.

'Waarom heb je hem vermoord?' vroeg Mac.

'Hij noemde me een homo,' zei Breeze. 'Niet één keer. Heel vaak. Ik rilde van angst als ik 's morgens mijn appartement uitkwam of 's avonds terugkwam, want ik was bang dat ik hem tegen zou komen. Ik zie de vraag in jullie ogen.'

'Welke vraag?' vroeg Mac.

'Of ik homoseksueel ben,' zei Breeze. 'Dat is niet zo, maar sommigen van mijn vrienden wel en ik kan niet tegen homohatende idioten. Ik heb het bijna een jaar geslikt.'

'En toen heb je hem vermoord,' zei Mac. 'Hoe?'

'Met een pistool,' zei Breeze. 'Hij stond in de lift. Ik had hem uit de weg kunnen gaan en de trap kunnen nemen, maar hij zou me gezien hebben.'

'Had je het pistool bij je?' vroeg Mac.

'Ja.'

'Was je van plan hem te vermoorden als hij weer begon te schelden?'

'Ja,' zei Breeze. 'Ik stapte in de lift. De deuren gingen dicht. Hij begon… Hij noemde me een laffe kontneuker,' zei Breeze. 'Het pistool zat in het voorvak van mijn computertas. Sommige dingen pik ik gewoon niet.'

Mac knikte, keek weer in de map en toen weer naar Jordan Breeze. 'Waar had je het pistool vandaan?' vroeg hij.

'Het is van mijn vader geweest,' zei Breeze. 'Die is een paar jaar geleden overleden aan kanker.'

'Wat is het voor pistool?'

'Een .22 millimeter.'

'Wat deed je in de lift naar de bovenste verdiepingen?'

'Ik volgde Lutnikov toen hij uitstapte en de andere lift nam,' zei Breeze. 'Dat verbaasde hem wel, maar het amuseerde hem ook.'

'Je stapte in de lift omdat je van plan was hem te vermoorden,' zei Mac.

'Ja.'

'Wat heb je met het pistool gedaan nadat je Charles Lutnikov had vermoord?'

'Ik ben de lift uit gegaan en heb hem naar boven gestuurd. Daarna ben ik door de sneeuw naar de East River gesjouwd en heb het ding erin gegooid,' zei Breeze. 'Hij ging door een dun laagje ijs. Ik heb de leren handschoenen die ik droeg ook in de rivier gegooid. Ik vrees dat jullie me kunnen aanklagen voor moord en voor het vervuilen van de rivier.'

'Hoeveel keer heb je op Lutnikov geschoten?'

'Twee keer,' zei Breeze. 'Een keer toen hij stond en nog eens toen hij viel.'

'De portier herinnert zich niet dat je weg bent gegaan,' zei Mac.

'Ik heb gewacht tot de middag, toen er een heleboel mensen in en uit gingen.'

'Hoe goed ken je Louisa Cormier?' vroeg Mac.

'Ik heb haar nooit ontmoet,' zei hij. 'Ik weet niet eens of ik haar wel eens in het gebouw heb gezien. Ik weet dat ze in het penthouse woont. Ik woon er nog niet zo lang.'

'Vind je het erg als we je flat eens bekijken? Ik kan een huiszoekingsbevel krijgen.'

'Ga je gang,' zei Breeze. 'Kijk maar in mijn flat en ook in mijn bergruimte in de kelder.'

Er lag een rustige glimlach op het gezicht van Breeze, die wel wat leek op de tevreden glimlach van leden van een sekte die er zeker van zijn dat zij de waarheid kennen over het leven en de geheimen daarvan hebben gereduceerd tot een eenvoudige loyaliteit.

Mac zette de bandrecorder uit, stond op en liep naar de deur. Toen hij hem opendeed, ging Breeze op wankele benen staan.

Toen Jordan Breeze was weggevoerd, kwam Aiden de verhoorkamer in waar Mac met de dunne map op de tafel zat te tikken.

'Je gelooft niet dat hij het gedaan heeft?' zei ze.

'Ik zal er eens naar kijken. Als hij het niet gedaan heeft, heeft iemand hem een heleboel informatie gegeven over de moord,' zei Mac. 'En we gaan door met ons onderzoek naar Louisa Cormier.'

'Je zou het mis kunnen hebben,' zei ze.

'Dat zou kunnen,' beaamde Mac.

12

De eerste auto die Stevie probeerde, kreeg hij niet aan de praat. Het was bijna vijftig jaar geleden dat hij een auto had gestolen. Soms verleer je het fietsen toch.

De auto was een groene Ford Escort en hij stond een half blok van de plek waar hij de twee mannen van de bakkerij had achtergelaten, de een dubbelgeslagen van de pijn en de ander met een bloedneus. Hij was er zeker van geweest dat ze te erg gewond waren om hem te volgen. Hij had erover gedacht ze allebei te vermoorden, maar dan zat hij met twee lijken. Ze konden beter op eigen kracht wegkruipen.

Het probleem was dat Stevie ook bijna weg moest kruipen. Hij verloor bloed en probeerde te bedenken waar hij nog heen kon.

Een van de achterportieren van de Escort was open geweest omdat het slot kapot was. Het had gemakkelijk moeten zijn. Maar Stevie had geen schroevendraaier of mes. Niets dat hij kon gebruiken om een auto te stelen.

Hij was weer uitgestapt en had naar de portiek gekeken waar hij de twee mannen had achtergelaten. Hij hoopte half dat ze zich genoeg hersteld hadden om achter hem aan te komen in plaats van weg te kruipen. Stevie had het pistool afgenomen van de man die hij het eerst had geraakt. Hij veegde zijn vingerafdrukken van het wapen en gooide het over een bakstenen muur die iets verderop stond. Hij wist hoe hij zijn handen moest gebruiken. Maar hij wist dat hij meer moeite had met zijn hoofd.

De tweede auto, een witte Oldsmobile Cutlass Calais uit 1992, deed hem bijna weer in God geloven. Het raampje kon met enige druk omlaag worden geschoven, tot hij net zijn arm erdoor kon steken en het portier open kon maken. Hij gleed achter het stuur en probeerde te bedenken wat hij nu moest doen.

Hij deed het handschoenenkastje open, op zoek naar iets dat hij kon gebruiken. Er was niets, alleen een donker, leren portemonneetje. Hij maakte het open. Een sleutel, een plastic Oldsmobile sleutel.

De auto startte bijna onmiddellijk en Stevie was onderweg. Waar naartoe? De jockey. Hij wist niet zeker of hij Jake Laudano kon vertrouwen. Ze waren meer gelegenheidspartners dan vrienden, de trage, sterke, grote man en het nerveuze kleine mannetje. Geen van beide mannen was erg slim of ambitieus.

Niet veel keus, dacht Stevie. De jockey of het ziekenhuis, als ik al bij de jockey kan komen.

Nee, er was geen 'als', besloot hij onder het rijden. Hij zou er komen.

De volgende veertig minuten raakte hij kwijt. Toen hij wakker werd, kwam er zwak zonlicht door een raam en lag hij op een hobbelige bank die te klein voor hem was.

Hij ging langzaam overeind zitten. Zijn been was verbonden. Het kloppen was draaglijk. Hij was nog steeds vastberaden. Hij bevond zich in een kleine studioflat met een bank tegen de ene muur en een opklapbed dat in de andere muur verdween.

Plotseling ging de deur van het flatje open. Stevie probeerde overeind te komen, maar zijn been dwong hem weer te gaan zitten.

De jockey kwam binnen met een papieren zak in zijn hand.

'Ik heb koffie voor je meegebracht,' zei hij. 'En een paar donuts.'

'Dank je,' zei Stevie, die in de zak keek die Jake hem had overhandigd en de koffie eruit haalde.

Hij voelde zich een beetje misselijk. Misschien werd het beter met de koffie en de donuts. Hij wist het niet en het kon hem niet schelen. Hij had honger. Hij pakte een donut en lachte.

'Wat is er zo leuk?' vroeg Jake.

'Ik was gisteren jarig,' zei Stevie.

'Je meent het,' zei de jockey. 'Gefeliciteerd.'

Anders Kindem, professor linguïstiek aan de Columbia University, had slechts een klein spoortje van een Noors accent.

Mac had over hem gelezen in een artikel in de *New York Times*. Kindem zou definitief hebben vastgesteld dat William Shakespeare beslist niet Christopher Marlowe, Sir Walter Raleigh of John Grisham was, wie hij dan ook wel mocht zijn.

Kindem had steil blond haar, was een beetje slungelig, glimlachte voortdurend en was nog geen veertig. Hij was verslaafd aan koffie, die hij dronk uit een grote witte mok met het woord 'woorden' in verschillende kleuren. Naast een van zijn vier computerschermen stond een lauwe kop hazelnootkoffie, die hij had gezet van de bonen in de hoge, groene pot die naast de koffiemolen en het koffiezetapparaat in zijn kantoor stond.

Kindem had twee van de computers op een bureau staan. Twee andere stonden op een ander bureau, tegenover de eerste twee computers. De professor zat op een draaistoel tussen de vier computers. Mac zat te kijken hoe hij draaide en van computer naar computer bewoog. Hij leek meer een musicus aan een uitgebreid keyboard dan een wetenschapper.

De nieuw uitziende spijkerbroek en de groene sweater met opgerolde mouwen deden nog meer afbreuk aan Kindems image als wetenschapper. Op de voorkant van zijn sweater stonden in witte letters de woorden JE MOET GEWOON WETEN WAAR JE MOET ZOEKEN.

Er had muziek op gestaan toen Mac Kindems lab was binnengekomen met een attachékoffertje met daarin de diskettes waarop Louisa Cormiers boeken stonden.

Kindem had het volume omlaag gedraaid en zei: 'Rechercheur Taylor, vermoed ik.'

Mac schudde hem de hand.

'Hebt u last van de muziek? Die helpt me bewegen, nadenken,' zei Kindem.

'Bach,' zei Mac. 'Op de synthesizer.'

'*Switched-On-Bach*,' bevestigde Kindem.

Mac keek de kamer rond. De bureaus met de computers namen de helft van de ruimte in beslag. In de andere helft stond nog een bureau met nog een computer erop en drie stoelen ervoor. Aan de muren hingen ingelijste diploma's en oorkondes.

Kindem volgde de blik van de rechercheur en zei: 'Ik hou besloten seminars, discussies eigenlijk, met de promovendae die ik adviseer.' Hij knikte naar de drie stoelen.

'Heel kleinschalige seminars. En de versiering aan de muur. Wat kan ik zeggen? Ik ben ambitieus en bezit een spoortje academische ijdelheid. De diskettes?'

Mac vond een plekje aan het eind van een van de bureaus met twee computers. Hij deed zijn koffertje open, haalde de in een geëtiketteerd hoesje verpakte diskettes eruit en gaf ze aan Kindem.

'U zult ze moeten lezen,' zei Mac. 'Bel me maar als u iets weet.'

Mac overhandigde Kindem een kaartje. Kindem had de diskettes tussen twee van de computers gelegd. 'Ik hoef ze niet te lezen,' zei Kindem. 'Ik wil ze ook helemaal niet lezen, zeker niet op een computerscherm. Ik lees al veel te vaak teksten van schermen. Als ik een boek lees, wil ik dat in mijn handen hebben en de woorden op een bladzijde zien.'

Mac was het met hem eens, maar zei niets.

Kindem glimlachte.

'Een paar dingen kan ik u heel snel vertellen,' zei hij. 'Als de vragen eenvoudig zijn. Voor een volledige analyse heb ik een dag nodig. Ik zal een van mijn promovendae een rapport laten opstellen en dat per e-mail of post naar u laten sturen.'

'Dat klinkt goed,' zei Mac.

'Oké,' zei Kindem, die de diskettes in een toren tussen twee computers stopte.

Elk van de zes diskettes verdween met een gezoem en een klik in het apparaat.

'Nou,' zei hij, 'wat zoek ik?'

'Ik wil weten of deze boeken allemaal door een en dezelfde persoon zijn geschreven,' zei Mac.

'En?' vroeg Kindem.

'Alles wat u me verder nog kunt vertellen over de schrijver,' zei Mac. Kindem demonstreerde zijn vaardigheid op het toetsenbord en zette de cd die hij had opstaan harder, zodat hij er nog meer uitzag als een musicus die meespeelde met de muziek.

'Woorden, gemakkelijk,' zei Kindem terwijl hij van de ene computer naar de andere ging en instructies intypte. 'Maar zeg dat niet tegen het hoofd van mijn afdeling. Hij vindt het moeilijk. Doet alsof hij het begrijpt. Ik zeg nooit iets over zijn encyclopedische misinformatie. Woorden, gemakkelijk. Muziek is lastiger. Geef me twee stukken muziek en ik kan ze programmeren, ze in de computer invoeren en u vertellen of ze door een en dezelfde persoon zijn geschreven. Wist u dat Mozart stal van Bach?'

'Nee,' zei Mac.

'Omdat hij dat niet deed,' zei Kindem. 'Ik heb het bewezen voor een zogenaamde deskundige die die onzin een hele termijn als professor in Leipzig heeft volgehouden.'

Hij ging nog een minuut of tien door, waarin hij voortdurend praatte en koffie dronk en van de ene computer naar de andere rolde.

'Uitroeptekens,' zei hij. 'Een goede plek om te beginnen. Ik hou er niet van en gebruik ze ook niet in mijn artikelen. In wetenschappelijke en academische geschriften kom je bijna nooit uitroeptekens tegen. Ze verraden een gebrek aan vertrouwen in je eigen woorden. Hetzelfde geldt voor fictie. De schrijver is bang om de woorden al het werk te laten doen, dus wil hij ze iets extra's geven. Punctuatie, woordenschat, herhaling, hoe vaak bijwoorden en bijvoeglijke naamwoorden worden gebruikt. Dat zijn net vingerafdrukken.'

Mac knikte.

'Eerste drie boeken,' zei Kindem. 'Overladen met uitroeptekens. Meer dan tweehonderdvijftig in elk boek. Maar in elk boek daarna zijn de uitroeptekens verdwenen. De schrijver heeft het licht gezien of...'

'We hebben te maken met een andere schrijver,' zei Mac.

'Precies,' zei Kindem. 'Maar er is nog veel meer. In de eerste drie boeken duikt het woord "zei" gemiddeld dertig keer per boek op. Ik zal het controleren, maar de schrijver lijkt het woord te vermijden en heeft bijna zeker gezocht naar andere manieren om dialogen aan te geven. Dus in plaats "ze zei" gebruikt de schrijver "ze riep uit" of "ze stootte uit". In de latere boeken komt het woord "zei" gemiddeld tweehonderdachtenzestig keer voor. Een groeiend zelfvertrouwen? Niet zo extreem, niet zo snel. Wilt u nog meer?'

Mac knikte.

'In de eerste drie boeken staan veel ingewikkelder en langere zinnen,' zei Kindem, die op het scherm keek. 'De terloopse lezer zal zich hier misschien niet echt van bewust zijn, maar in het onderbewuste... Daarvoor moet je iemand van de afdeling psychologie hebben.'

'Nog andere dingen?'

'Alles,' zei Kindem. 'Woordenschat. Het woord "wederzijds" komt in elk van de eerste drie boeken gemiddeld elf keer voor. In de andere niet één keer.'

'Kan de verandering na de eerste drie boeken niet worden toegeschreven aan een beslissing om de stijl te wijzigen of het aanscherpen van de vaardigheden van de schrijver?'

'Niet zo'n grote verandering,' zei Kindem. 'En ik denk dat ik nog wel meer kan vinden als u me nog een paar uur geeft.'

'De formule is in alle boeken ongeveer hetzelfde,' zei Mac. 'De vrouw is een weduwe of nog niet getrouwd, hoewel ze midden dertig is. Ze heeft of draagt de verantwoordelijkheid voor een kind dat gevaar blijkt te lopen van de kant van een wraakzuchtig familielid, de maffia of een seriemoordenaar. De politie doet niet veel. De vrouw moet zichzelf en het kind beschermen. En ergens op de laatste dertig pagina's gaat de vrouw de strijd aan met de slechterik of slechteriken en wint die strijd, samen met een nieuwe man in haar leven die ze ergens onderweg heeft ontmoet.'

'Dat betekent dat degene die de boeken geschreven heeft een vaste formule volgt,' zei Kindem. 'Niet dat het dezelfde schrijver is.'

Mac was nu zeker van zijn zaak. Louisa Cormier had de eerste drie boeken geschreven. Charles Lutnikov de rest.

Maar waarom had ze hem dan doodgeschoten, dacht Mac. Ruzie? Waarover? Geld?

'Wilt u een uitdraai?' vroeg Kindem.

'E-mail,' zei Mac. 'Het adres staat op mijn kaartje.'

'Moet ik getuigen bij de rechtszaak?'

'Misschien,' zei Mac.

'Mooi,' zei Kindem. 'Dat heb ik altijd al eens willen doen. En nu terug naar het werk van de ontmaskerde Louisa Cormier.'

Stella zat slaperig en met overal pijn in de auto, terwijl Danny reed. Voor de achtste keer keek Stella het dossier over Alberta Spanio door, dat op haar schoot lag.

Ze keek naar de foto's van de plaats delict: het lijk, het bed, de muren en het dressoir. Ze keek naar de foto's van de badkamer: het toilet, de vloer, het bad, het open raam boven het bad.

Er knaagde iets aan haar. Iets dat verkeerd was. Het voelde alsof ze zich de naam van een acteur of een schrijver probeerde te herinneren of die van het meisje dat op de middelbare school bij de wiskundeles naast haar had gezeten. Je moest het weten, je wist zeker dat het ergens in je brein verstopt zat. Je kon het hele alfabet tien, vijftien keer doorlopen zonder op de naam te komen en dan was hij er plotseling.

Ze las de getuigenis nog eens van de twee mannen die Alberta Spanio hadden bewaakt, Taxx en de vermoorde Collier.

Onder het lezen viel het haar in. Ze bekeek de foto's van de badkamer nog eens, die zij gemaakt had.

Collier had Flack verteld dat hij in het bad was gaan staan om uit het raam te kijken. Als de moordenaar door het raam was gekomen, had hij of zij de sneeuwhoop voor het raam in het bad moeten duwen. Dan had er gesmolten sneeuw in het bad moeten liggen toen Collier erin ging staan. Maar op Stella's foto was geen spoor van vocht in het bad te bekennen en ook geen voetafdrukken van Colliers schoenen, ook al hadden de zolen van zijn schoenen nat moeten zijn door de gesmolten sneeuw.

Waarom had Collier gelogen?

Sheldon Hawkes zat naast Mac aan het bureau naar de videobeelden op het beeldscherm voor hem te kijken.

'Nog eens,' zei Hawkes, die zich dichter naar het beeldscherm boog. Mac spoelde de band terug en dronk koffie terwijl Hawkes nog eens naar de video van twintig minuten keek, die hij soms vooruit liet spoelen of stopzette.

'Laat me het bandje van het verhoor nog eens horen.'

Mac spoelde het bandje met het verhoor van Jordan Breeze terug en speelde het nog eens af.

'Wil je hem in zijn cel opzoeken?' vroeg Mac. 'Ik denk dat hij zal bevestigen wat we al weten.'

Hawkes stond op en zei: 'Je hebt gelijk.'
Mac luisterde terwijl Hawkes hem vertelde wat hij had opgemerkt.

'Ja, hoor,' zei Mathew Drietch.
Hij was een pezige man van een jaar of veertig met dun, blond haar en het gezicht van een bokser, en hij gaf antwoord op Aiden Burns verzoek om de .22 te mogen zien die Louisa Cormier had gebruikt op de schietbaan, die net naast het kantoor was waarin ze nu zaten.
'Houdt u van het geluid van schoten?' vroeg Drietch.
'Niet echt,' zei ze.
'Ik wel,' zei hij en hij keek langs haar heen naar de deur met de ruit erin, waardoor hij de schietbaan kon zien. 'De knal, de kracht. Snapt u wat ik bedoel?'
'Niet echt,' zei Aiden. 'Wilt u me nu het pistool laten zien?'
Hij stond langzaam op en trok zijn zwarte spijkerbroek omhoog.
'Wanneer is Louisa Cormier hier voor het laatst geweest?' vroeg ze.
'Een paar dagen geleden,' zei hij. 'De dag voor die storm, geloof ik. Ik kan het nakijken.'
Hij liep naar de deur van zijn kantoor en deed hem open, zodat het geluid van pistoolschoten beter te horen was. Hij hield hem voor haar open en liep haar toen voorbij, achter de vijf mensen op de schietbaan langs.
'De kou drijft ze hierheen,' zei Drietch. 'Ze willen iets te doen hebben en ergens op schieten. Om zich af te reageren.'
Aiden gaf geen antwoord. Drietch ging naar een deur naast de registratiebalie. Een gezette, kalende man stak zijn hand onder de balie, duwde op een knop en de deur ging open.
'Ik heb wel een sleutel,' zei Drietch, 'maar Dave is er bijna altijd.'
Ze kwamen in een klein, fel verlicht kamertje met houten dozen op planken van de vloer tot het plafond en een kleine tafel zonder stoelen middenin.
'We hebben hier bijna vierhonderd handwapens,' zei Drietch, die naar een van de planken liep en een sleutelring uit zijn zak haalde. 'Met de loper kan ik al die dozen openmaken.'
Hij haalde een doos van een plank en zette hem voor Aiden op tafel.
Aiden keek naar de doos en toen naar de planken.

'Op sommige van die dozen zitten hangsloten. Op andere niet,' zei ze.

'Geen pistool in de doos, geen slot,' legde hij uit.

'Op deze doos zit geen slot,' zei ze met een blik op de doos op tafel.

'Ik moet vergeten zijn het erop te doen,' zei hij. 'Het ligt waarschijnlijk in de doos.'

Aiden kwam tot de conclusie dat Drietch niet erg nauwgezet was.

'De munitie ligt in een kluis,' zei Drietch, die haar afkeurende blik opving.

Aiden zei niets. Ze tilde het deksel van de metalen doos. Er lag een pistool in, precies zo'n Walther .22 als Louisa in de la van haar bureau had.

'Een licht dingetje,' zei Drietch.

'Je kunt er nog steeds iemand mee doodschieten,' zei Aiden, die een potlood in de loop stak en het pistool uit de doos tilde.

Ze had een paar seconden nodig om vast te stellen dat het pistool onlangs was schoongemaakt.

'Heeft Louisa Cormier het schoongemaakt?'

'Nee, dat doet Dave,' zei hij.

Aiden deed het pistool in een zak en keek naar Drietch.

'Daar moet ik een afgiftebewijs voor hebben,' zei hij.

Ze haalde haar notitieboekje voor de dag, schreef een reçu uit, ondertekende het en gaf het aan hem.

'Maakt mevrouw Cormier de doos zelf open om het pistool te pakken?'

'Nee,' zei hij. 'Ze blijft staan wachten. Ik heb de sleutel. Ik haal het uit de doos, kijk of het niet geladen is en dan geef ik het aan haar. De munitie krijgt ze pas op de baan. Als ze klaar is met schieten, geeft ze het pistool terug en berg ik het weer op.'

'Dus ze raakt het slot en de doos nooit aan?' vroeg Aiden.

'Ze heeft geen sleutel,' zei hij geduldig.

Aiden knikte en onderzocht de doos op vingerafdrukken. Ze ontdekte vier mooie.

Aiden legde haar handschoenen in haar koffertje. Ze zou in de toiletten, de afvalbakken en de afvalcontainers buiten naar het vermiste slot moeten zoeken. Dat was niet leuk, maar beter dan naar die kogel zoeken in de liftschacht.

Het kostte haar twintig minuten, waarin ze ook de betaalde parkeerplaats naast het pand controleerde en nog eens controleerde.

Toen ze weer naar binnen ging, stond Drietch bij een lege plaats op de schietbaan, met een pistool op het platform waartegen hij leunde. Hij wees ernaar.

Toen ze naar hem toe liep, ging hij een stap achteruit om haar de ruimte te geven.

Aiden schoot. De schietschijven, bekende zwarte cirkels op een witte ondergrond, hingen op een afstand van ongeveer zes meter. Ze vuurde vijf schoten af en gaf hem het pistool terug. Toen viel haar blik op iets dat op de vloer van de schietbaan lag.

Drietch keek naar de schietschijf. Alle kogels zaten in de roos. Aiden had het bijna net zo goed gedaan als de schietschijven twee keer zo ver hadden gehangen.

'Jij bent goed,' zei hij met respect.

'Dank je,' zei ze. 'Laat iedereen ophouden met schieten en hun wapens neerleggen.'

'Wat krijgen we...' begon hij.

'Er ligt daar een slot,' zei ze. 'En ik neem het mee als bewijsmateriaal.'

'Alles is geregeld,' zei Arthur Greenberg.

Mac had hem voor de zekerheid nog eens gebeld.

'Sneeuw, regen, niets zal ons kunnen tegenhouden, behalve de verschrikkelijke toorn van God,' ging Greenberg verder. 'Moeten we nog iemand op de hoogte stellen?'

'Nee,' zei Mac.

Hij stond in het gerechtshof te wachten op een rechercheur van de afdeling Moordzaken die Martin Witz heette en een assistent-openbaar aanklager die Ellen Carasco heette en die uit de kamers van rechter Meriman moesten komen, hopelijk met een huiszoekingsbevel voor het appartement van Louisa Cormier.

'Dus dan zien we u morgenochtend om tien uur?' vroeg Greenberg.

'Ja,' zei Mac met een blik op de solide deur met het indrukwekkende, glimmend gepoetste koperen plaatje met de naam van rechter Meriman erin gegraveerd.

Greenberg hing op. Toen Mac hetzelfde deed, ging de deur van rechter Merimans kamer open en kwam Ellen naar buiten.

'Hij wil je spreken,' zei ze.

Carasco was bedrieglijk slank. Mac wist dat onder haar losse jasje de indrukwekkende spieren zaten van een bodybuilder. Carasco hoorde in haar klasse bij de beste dertig vrouwelijke bodybuilders ter wereld. Ze had een open, knap gezicht en lang donker haar. Stella had meer dan eens laten doorschemeren dat Carasco geen nee zou zeggen als Mac haar mee uit eten zou vragen. Maar Mac had nooit iets met de informatie gedaan. En dat was hij ook niet van plan.

Mac liep achter haar aan het kantoor van de rechter in, waar rechercheur Martin Witz log in een roodbruine leren stoel zat, tegenover de rechter achter het bureau.

Meriman, die bijna met pensioen ging, was trots op zijn witte bos haar en zijn bekende, goed verzorgde witte snor. Hij knikte naar Mac, die terugknikte.

'We hebben het bewijs doorgenomen,' zei Meriman met zijn geoefende bariton. 'Ik wil dat nog eens met u doen voordat ik mijn beslissing neem.'

Mac knikte weer. Meriman stak zijn hand uit om aan te geven dat Mac kon gaan zitten. Hij ging rechtop op eenzelfde stoel zitten als die Witz bezette. Carasco bleef tussen de twee stoelen staan.

'Het slachtoffer was Charles Lutnikov,' zei Mac. 'Hij woonde in hetzelfde flatgebouw als Louisa Cormier. Ze kenden elkaar.'

'Hoe goed?' vroeg de rechter.

'Volgens de bewijzen redelijk goed,' zei Mac.

Mac vertelde de rechter over Aiden Burns ontdekking van het slot dat op de doos hoorde waarin het pistool van de schietbaan had gezeten, de vondst van de kogel in de liftschacht, het schrijfmachinelint en wat erop had gestaan en het rapport van Kindem, waarin stond dat iemand anders dan Louisa Cormier waarschijnlijk het grootste deel van haar boeken had geschreven.

'De kogel is uit dat pistool afkomstig?' vroeg Meriman.

'Dat wordt nog getest,' zei Mac.

'Magertjes,' zei Meriman, die zijn handen over elkaar legde en opkeek naar zijn drie bezoekers.

'Er zijn wel huiszoekingsbevelen uitgevaardigd met minder bewijs,' zei Carasco.

'Twee stukjes informatie,' zei Meriman. 'Ten eerste hebben we het hier over een wereldberoemde schrijver, iemand die een dure en zeer bedreven advocaat kan inhuren. Ten tweede is jullie bewijs grotendeels indirect en heel dunnetjes. Zeer suggestief, dat ben ik met jullie eens, maar...'

Macs mobiele telefoon trilde in zijn zak. Hij pakte hem en zei: 'Het spijt me, edelachtbare, maar het kan op de zaak betrekking hebben.'

'Houd het kort,' zei de rechter met een blik op de klok aan de muur, 'en breek het af als het niets met dit verzoek om een huiszoekingsbevel te maken heeft.'

Mac nam op met een kort: 'Ja.'

Hij luisterde. Het telefoontje duurde niet langer dan tien seconden. Hij klapte de telefoon dicht, stak hem in zijn zak en zei: 'Dat was technisch rechercheur Burn. Op het slot dat van de doos is geknipt, stonden twee duidelijke vingerafdrukken. Die van Louisa Cormier.'

'Het was haar pistool,' zei de rechter.

'Nee,' zei Mac. 'Het was van de schietbaan. Ze had geen sleutel, maar volgens de eigenaar van de schietbaan wist ze wel waar de doos zich bevond.'

Aiden had nog iets anders gezegd, iets dat Mac de rechter niet meedeelde, hoewel hij dat wel zou doen als erop werd aangedrongen. Aiden had Mac net verteld dat de kogel uit de liftschacht niet door het pistool van de schietbaan was afgevuurd.

Waarom had Louisa Cormier bij Drietchs ingebroken om een pistool te stelen dat niet het moordwapen was? dacht Mac. Het probleem, concludeerde hij, was dat zijn voornaamste verdachte detectives schreef en wist hoe ze een eenvoudige moordzaak iets uit het Land van Oz kon laten lijken.

Rechter Meriman draaide zijn stoel en keek naar de grijze dag, die verse sneeuw beloofde. Toen draaide hij weer terug en zei: 'Ik zal een huiszoekingsbevel uitvaardigen voor het appartement van Louisa Cormier, waarbij mag worden gezocht naar een .22 kaliber wapen om dat te kunnen vergelijken met de kogel die uw rechercheur heeft gevonden.'

De kogel kon nooit uit het pistool afkomstig zijn dat Louisa Cormier hun had laten zien. Mac was er zeker van dat er de laatste twee of drie dagen niet mee was geschoten en waarschijnlijk al veel langer niet. De kans dat er een derde .22 was, was heel klein. Als er een derde pistool was, het moordwapen, en dat sloot hij niet uit, dan had Louisa Cormier het bijna zeker inmiddels weggewerkt. Maar voorlopig moest Mac het doen met wat hij kon krijgen.

'Dank u,' zei Mac.

'En ik moet het forensische bewijs hebben dat een eventueel gevonden wapen het moordwapen is. Als de .22 van de schietbaan niet het juiste pistool is, kunt u proeven doen met elke .22 die u in Louisa Cormiers appartement vindt om te bepalen of de kogel die Charles Lutnikov doodde uit dat wapen kwam.'

De rechter en Mac wisselden een blik van samenzweerderige medewerking.

'Als u bij het zoeken naar de genoemde voorwerpen verder bewijs vindt dat Louisa Cormier betrokken is bij de onderzochte misdaad, moet dat bewijs ontdekt worden tijdens de zoektocht naar het wapen. Is dat duidelijk?'

'Ja,' zeiden Carasco, Witz en Taylor in koor.

'Dan is het voor elkaar,' zei Meriman.

Meriman pakte de telefoon en drukte op een knop. Hij zei tegen iemand dat hij naar zijn kantoor moest komen.

'Er is nog één ding dat u moet weten, edelachtbare,' zei Carasco. 'We hebben een bekentenis van een andere partij.'

De rechter leunde geïrriteerd achterover.

'Rechercheur Taylor is ervan overtuigd dat het een valse bekentenis is,' voegde Carasco eraan toe.

'Als u bewijs heeft dat de bekentenis inderdaad vals is, krijgt u een huiszoekingsbevel voor het appartement van Louisa Cormier,' zei Meriman. 'En nu wegwezen. Jullie hebben genoeg van mijn tijd verspild.'

De drie bezoekers verlieten het kantoor en hoorden dat achter hen de radio met een klik werd aangezet.

13

'Meneer Marco heeft u niets te zeggen,' zei Helen Grandfield toen Stella en Danny het kantoor binnenkwamen, gevolgd door twee geüniformeerde agenten. 'En dit is particulier terrein, dus als u geen huiszoekingsbevel hebt...'

'Dit is een plaats delict,' zei Stella.

Er moest een sterke geur van vers brood hangen, maar Stella rook niets. Ze weerstond de aandrang om haar neus af te vegen.

'Van welke misdaad?' vroeg Helen Grandfield terwijl ze opstond.

'We hebben bewijzen dat er in uw gang een politiebeambte is omgebracht,' zei Danny.

Helen Grandfield keek naar Danny en naar de twee agenten en toen wierp ze een woedende blik op Stella.

'Wat een onzin,' zei ze.

'Mevrouw Contranos,' zei Stella.

'Ik geef de voorkeur aan de naam Grandfield en gebruik die ook,' zei de vrouw.

'Behalve op de deur van uw flatgebouw,' zei Stella. 'En u bent geboren als Helen Marco. Een heleboel namen.'

Helen Grandfield probeerde niet boos te kijken. Dat mislukte.

'We willen graag weten of u werknemers heeft die vanmorgen niet op het werk zijn verschenen en we willen iedereen die in de bakkerij werkt ondervragen. We zullen er ook op moeten staan uw vader nog eens te spreken.'

Het gebruik van haar echte naam en de verwantschap met Dario Marco, weerhield de vrouw van verdere protesten.

'U woont op President Street in Brooklyn Heights. Hebt u daar gisteravond bezoek gehad van iemand van de bakkerij?'

'Nee, hoezo?'

'Er heeft iemand gebloed in uw portiek,' zei Stella. 'En er heeft iemand gebraakt.' Stella voelde zich behoorlijk misselijk. 'Als we die persoon vinden, kunnen we zijn bloed vergelijken met dat op de stoep. En als we de persoon die gebraakt heeft vinden, kunnen we zijn DNA vergelijken met dat van het braaksel.'

De vrouw stond met haar armen langs haar lichaam en huiverde even.

'Uw medewerking zou zeer op prijs worden gesteld,' zei Stella.

'Mijn vader is er nog niet,' zei ze. 'Ik moet zijn toestemming hebben om...'

Stella schudde haar hoofd nog voordat de vrouw was uitgesproken.

'Steven Guista,' zei Stella.

'Een van onze chauffeurs,' zei Helen Grandfield, die zich vermande.

'We willen hem graag spreken,' zei Stella.

'Ik geloof niet...'

Hij heeft een politieman aangevallen en wordt gezocht in verband met de moord op Alberta Spanio, die vandaag of morgen tegen uw oom had moeten getuigen,' zei Stella.

Helen Grandfield zei niets, maar na een keer diep ademhalen zei ze heel rustig: 'Steve Guista heeft vandaag vrij. Hij was gisteren jarig. Mijn vader heeft hem twee dagen vrij gegeven. Ik kan u zijn adres geven.'

'Dat hebben we al,' zei Stella. 'Wie is er vandaag verder niet die er wel zou moeten zijn?'

'Verder is iedereen komen opdagen,' zei Helen.

'We hebben een lijst nodig met de namen van alle werknemers en een kamer waar we ze een voor een kunnen ondervragen,' zei Stella.

'We hebben geen plek waar u dat kunt doen,' zei Helen.

'Prima,' zei Stella. 'Dan doen we het in de bakkerij.' Stella kon zich niet langer bedwingen. Ze haalde een dikke tissue uit haar zak en snoot haar neus.

Jordan Breeze zat weer in de verhoorkamer tegenover rechercheur Mac Taylor. Beide mannen hadden kartonnen bekers koffie voor zich staan.

Mac zette de bandrecorder aan en sloeg de map voor hem open. Hij was dikker dan de laatste keer dat de twee mannen elkaar hadden gesproken.

'Jij hebt Charles Lutnikov niet vermoord,' zei Mac.

Breeze glimlachte en nam een slok koffie.

'Je hand trilt,' zei Mac.

'Nerveus,' zei Breeze.

'Nee,' zei Mac hoofdschuddend. 'Multiple sclerose.'

'Je had het recht niet die informatie bij mijn dokter op te vragen,' zei Breeze.

'Daar had ik je dokter niet voor nodig,' zei Mac. 'We hebben er zelf een en die heeft je geobserveerd. Schokkerige oogbewegingen. Internucleaire oftalmoplegie, gebrek aan coördinatie tussen je ogen. Je stotterde bij het praten. Hij zag dat je moeite had je koffiebeker op te pakken en dat je handen trilden. Je werkt er hard aan en spreekt langzaam en duidelijk om verstaanbaar te blijven, maar je hebt het niet helemaal onder controle. Je kunt niet rechtop zitten. Je zakt steeds onderuit. Toen ik je hand aanraakte, was die abnormaal koud. En toen je in je cel rondliep, viel je tweemaal bijna om. Je kunt onmogelijk in de sneeuw naar de rivier en terug zijn gelopen.'

Breeze ging langzaam rechtop zitten.

'Zie je dubbel?' vroeg Mac. 'Spierzwakte. Trekkende en schokkende spieren. Aangezichtspijn. Misselijkheid. Incontinentie?'

Breeze werd bleek en zette de beker op tafel, voorzichtig om niet te morsen.

'Geheugenverlies?' ging Mac verder.

'Jullie kunnen mijn medische gegevens niet opvragen,' zei Breeze.

'Je hebt bekend dat je iemand hebt vermoord,' zei Mac. 'Dus zetten we je in de gevangenis en laten je door de gevangenisdokter onderzoeken.'

Breeze zei niets.

'Hoe lang heb je nog voor je niets meer kunt?' vroeg Mac.

'Een jaar, twee,' zei Breeze.

'Heb je familie om voor je te zorgen?'

'Niemand,' zei Breeze en zijn rechterhand trilde nu zichtbaar.

'Je hebt nooit een pistool gehad,' zei Mac.

Breeze antwoordde niet.

'We hebben de koffer gevonden in de bergkast die zich drie deuren links van de jouwe bevindt,' zei Mac. 'Hij zat vol boeken die waren gesigneerd door Louisa Cormier. Je hebt ze uit je flat gehaald nadat je van de moord had gehoord, nadat je had gehoord dat we met Louisa Cormier hadden gepraat en dat ze verdacht werd.

'Ze heeft ze voor me gesigneerd,' zei hij. 'Ik ben een grote fan. Ze gaat haar volgende boek aan mij opdragen.'

'Jij hebt Charles Lutnikov niet vermoord. Hij heeft je nooit uitgescholden.'

'Jawel,'

'Had Lutnikov iets bij zich toen je hem doodschoot?'

'Nee.'

'Geen kranten, boeken?'

'Niets.'

'Betaalt Louisa Cormier je medische onkosten?' vroeg Mac.

Breeze gaf geen antwoord. Hij wendde zijn hoofd af. Mac dacht dat hij iets van pijn bespeurde.

'We komen er wel achter,' zei Mac.

'Ze is een goed mens,' zei Breeze.

Mac gaf geen antwoord. Eindelijk sloeg Jordan Breeze zijn ogen neer.

'Alles wat ik aanraak, mislukt,' zei Breeze.

'Heeft Louisa je de details verschaft over de moord?' vroeg Mac.

'Ik geloof dat ik nu een advocaat wil,' zei Breeze.

'Ik denk dat dat een heel goed idee is,' zei Mac.

Een uur later, nadat hij had geluisterd naar de opname van het gesprek tussen Mac en Jordan Breeze, gaf rechter Meriman een huiszoekingsbevel af voor het appartement van Louisa Cormier.

Louisa Cormier bood Aiden en Mac dit keer geen koffie aan. Ze was niet gemelijk, nors of onbeleefd. Eigenlijk was ze heel behulpzaam en welwillend, maar koffie en charme stonden vandaag duidelijk niet op haar agenda voor het duo van het CSI-team dat aanklopte met een huiszoekingsbevel.

Ze leek een beetje versleten en moe in haar losse, gebloemde jurk en ze had rode ogen toen ze hen het appartement in liet.

'Wacht even, alstublieft,' zei ze toen ze eenmaal binnen waren.

Mac en Aiden waren niet verplicht te wachten tot ze klaar was met het telefoontje met haar advocaat via de snoerloze telefoon op een kunstig ingelegd tafeltje net achter de deur, maar ze deden het toch. 'Ja,' zei Louisa Cormier in de telefoon, terwijl ze het vermeed naar de rechercheurs te kijken. 'Ik heb het in mijn hand.'

Ze keek neer op het huiszoekingsbevel.

'Zal ik het aan je voorlezen? ... Goed. Een beetje snel alsjeblieft.' Louisa hing de telefoon op. 'Wat komen jullie doen?' vroeg ze. 'Ik heb begrepen dat iemand bekend heeft dat hij meneer Lutnikov vermoord heeft.'

'We geloven hem niet,' zei Mac. 'Zijn naam is Jordan Breeze. Kent u hem?'

'Een beetje. Mijn advocaat is hier over een kwartier,' zei ze. 'Ik moet u vragen alles precies zo terug te zetten als het stond.'

Mac knikte.

'Ik wil blijven kijken,' zei Louisa. 'Research uit de eerste hand voor mijn volgende boek.'

'Hebt u het laatste al af?' vroeg Mac beleefd.

Louisa glimlachte en zei: 'Bijna.'

Aiden en Mac bleven even zwijgend staan wachten tot ze verder zou gaan. Louisa legde een hand tegen haar voorhoofd en zei: 'Misschien is het mijn laatste wel, voor een tijdje tenminste. Zoals u kunt zien, kost het me een heleboel. Mag ik vragen wat u zoekt? Dan kan ik u misschien tijd besparen en mijn tapijten schoonhouden en mijn privacy ongeschonden.'

'Onder andere een .22 kaliber pistool,' zei Mac. 'Niet het exemplaar dat u ons gisteren liet zien. En een draadschaar.'

'Een draadschaar?' vroeg ze.

'Op de schietbaan is het slot van de doos waarin uw pistool werd bewaard doorgeknipt, waarschijnlijk gisteren.'

'En het pistool uit de doos wordt vermist?' vroeg ze terwijl ze hem recht aankeek.

'Dat niet,' zei Mac.

'Ik ben bang dat u zult moeten zoeken,' zei Louisa. 'Maar u zult niets vinden. Ik zou aantekeningen moeten maken over hoe het voelt om verdacht te worden van moord. Ik ben duidelijk de belangrijkste verdachte, hè?'

'Zo ziet het er wel uit,' zei Mac.

'Een verdachte zonder motief,' voegde ze eraan toe.

Mac noch Aiden antwoordde daarop. Ze trokken hun wegwerphandschoenen aan en begonnen in de hal waarin ze stonden.

'Ze wilden me vermoorden,' zei Big Stevie tegen Jake de jockey. Stevie zat diep weggezakt in de bank en zijn been deed pijn. Hij dacht niet aan zijn verjaardag of de pijn in zijn been, maar aan het verraad van Dario Marco. Iets anders kon het niet zijn, het was de enige verklaring. Stevie was een blok aan zijn been. Hij wist wat er was gebeurd met Alberta Spanio. Marco kon niet het risico lopen dat Stevie werd gearresteerd en begon te praten, dus had hij hem in de val gelokt bij dat appartement in Brooklyn.

Stevie zou niet gepraat hebben. Hij had niet veel behalve zijn kleine flatje, een baan als chauffeur van een bestelwagen, een paar favoriete programma's op de televisie, een bar waar hij wel graag kwam, Lilly en haar moeder aan de andere kant van de gang en Marco. Tot gisteren was dat genoeg voor hem geweest.

'Wil je koffie of iets drinken of zo?' vroeg de jockey, die zelf aan een tafel zat.

'Nee, dank je,' zei Stevie.

Stevie en de jockey hadden samen karweitjes gedaan, voornamelijk voor de familie Marco. Als ze samen waren, praatte de jockey het meest. Niet dat hij zo'n prater was, maar vergeleken met Stevie was hij Leno of Letterman.

'Wat ga je nu doen?' vroeg de jockey.

Stevie wilde er niet aan denken wat zijn mogelijkheden waren, maar hij dwong zichzelf ertoe. Hij kon zoveel mogelijk geld bij elkaar schrapen, wat niet bijzonder veel was, misschien twintigduizend of zoiets als hij het van de bank kon halen nadat hij zich ervan had vergewist dat hij niet in de gaten werd gehouden door de politie. Hij kon zichzelf aangeven en tegen Anthony en Dario Marco getuigen om als kroongetuige misschien onder een aanklacht wegens moord uit te komen. Wat was hij hen nu nog verschuldigd? Hij had hun zijn absolute trouw gegeven en zij hadden geprobeerd hem te vermoorden.

Nee, zelfs als hij een goede advocaat kreeg en een goede deal sloot, zou hij een tijdje moeten zitten. Hij had een politieman gewurgd. Daar kon hij niet omheen. Stevie was eenenzeventig plus een paar uur. Hij zou in de gevangenis sterven van ouderdom als de Marco's hem niet eerder te pakken namen.

Stevie kon zich op dit moment goed weren, maar over een paar jaar was hij misschien niet meer snel genoeg om te voorkomen dat hij een scherp geslepen steel in zijn rug kreeg. Als hij geluk had, werd hij misschien afgezonderd van de andere gevangenen en ging hij dood in een cel.

Nee, er was eigenlijk maar één ding dat hij kon doen. Hij kon Dario Marco vermoorden. Het enige voordeel daarvan was, dat ze dan quitte zouden staan. Hij had die twee die hem in de portiek van het flatgebouw waar Lynn Contranos woonde te pakken hadden willen nemen, waarschijnlijk ook moeten vermoorden. Misschien had hij er wel een van vermoord, de man die hij in zijn buik had gestompt. Misschien lag die ergens verstopt of in het ziekenhuis dood te gaan aan inwendige bloedingen. Hij had de neus van de tweede man gebroken. Stevie herinnerde zich vaag dat die vent Jerry heette. Stevie had Jerry het pistool afgenomen en het weggegooid. Misschien had hij het moeten bewaren, maar Stevie had nooit van wapens gehouden. Misschien moest hij die Lynn Contranos ook vermoorden. Als hij alles bij elkaar bekeek, had hij niet veel andere keus dan de enige overlevende te worden.

Er werd op de deur geklopt. De jockey stond meteen overeind en keek van Stevie naar de deur.

'Wie is daar?' vroeg Jake.

'Politie.'

Er waren niet veel plekken waar hij zich kon verstoppen. De kast of de badkamer. De jockey wees naar de badkamer. Stevie stond op. Jake fluisterde: 'Ga achter de deur staan. Doe hem niet dicht. Trek de wc door.'

Stevie kwam met moeite omhoog uit de diepe bank en hinkte naar de badkamer, terwijl Jake naar de deur ging. Hij keek achterom en controleerde de vloer op verraderlijke bloeddruppels. Hij zag er geen.

Stevie spoelde het toilet door en ging achter de open deur staan.

'Ik kom al,' zei de jockey, die achterom keek om te zien of Stevie al in de badkamer was.

Hij ritste zijn gulp los en deed open. Toen ritste Jake zijn broek weer dicht. De agent in burger, in een leren jasje, was alleen.

'Jacob Laudano?' vroeg de agent.

'Lloyd,' antwoordde de jockey. 'Jake Lloyd. Ik heb het wettelijk laten veranderen.'

'Mag ik binnenkomen?'

Jake haalde zijn schouders op en zei: 'Ja, hoor. Ik heb niets te verbergen.'

Hij deed een stap achteruit en Don Flack kwam het flatje binnen. De gedeeltelijk open deur van de badkamer was een van de eerste dingen waar hij naar keek.

Marco's Bakery in Castle Hill had achttien werknemers. Ze waren allemaal aan het werk, behalve Steven Guista.

Stella had een lijst namen die ze afvinkte terwijl de mannen en een vrouw een voor een de kamer met kantoorvoorraden binnenkwamen waarin de rechercheurs zich hadden gevestigd.

Toen ze met de eerste negen hadden gepraat en DNA-monsters en vingerafdrukken hadden genomen, was duidelijk dat elke werknemer een ex-bajesklant was of een lid van de familie Marco of allebei.

Jerry Carmody was nummer tien. Hij was groot en breed en een jaar of veertig, werd zwaar en droeg een verbandje op zijn neus. Zijn ogen waren rood en dik.

'Wat is er met je neus gebeurd?' vroeg Stella toen Danny een monster uit de keel van de man had genomen.

'Een ongelukje, ik ben gevallen,' zei hij.

'Hard gevallen,' zei ze. 'Mag ik even kijken?'

'Ik ben vanmorgen al bij de dokter geweest,' zei Carmody. 'Die heeft hem gezet. Hij is al eerder gebroken geweest.'

'Je hebt geluk dat het bot niet in je hersenen is geslagen,' zei Stella. 'Je hebt een flinke tik gehad.'

'Zoals ik al zei ben ik hard gevallen,' zei Carmody.

'Ben jij gisteravond in Brooklyn geweest?' vroeg ze.

Carmody keek naar Danny en de geüniformeerde agent die hem naar de voorraadkamer had gebracht.

'Ik woon in Brooklyn,' zei Carmody.

'Ken je ene Lynn Contranos?'

'Nee.'

'We hebben een bloedmonster nodig,' zei Stella hoestend.

'Waarvoor?'

'Volgens mij heeft Stevie Guista je dat aangedaan,' zei ze. 'Je hebt op de stoep van Lynn Contranos staan bloeden. Wij hebben wat van dat bloed.'

Carmody zweeg.

'Ken je Helen Grandfield?' vroeg Stella.

'Natuurlijk,' zei hij.

'Zij is Lynn Contranos,' zei Stella.

'En wat dan nog?' vroeg Carmody ongeïnteresseerd.

'Waar is Guista?' vroeg ze.

'Big Stevie? Weet ik veel. Thuis of in de kroeg of bij een hoer. Hoe moet ik dat weten? Hij was gisteren jarig. Waarschijnlijk ligt hij zijn roes uit te slapen.'

'We hebben het later nog wel over Stevie, nadat we jouw bloed hebben vergeleken met het bloed in de portiek. Rol je mouw op.'

'En als ik nou nee zeg,' zei hij.

'Rechercheur Messer is heel voorzichtig,' zei Stella. 'Als je het hier niet wilt laten doen, halen we een gerechtelijk bevel en gaan we gewoon naar ons lab. Wie heeft er dienst in het lab?'

'Janowitz,' zei Danny effen.

'Je wilt niet door Janowitz geprikt worden,' zei Stella.

'Janowitz de Steker,' zei Danny.

Carmody rolde zijn mouw op.

Ned Lyons was de twaalfde werknemer die naar de voorraadkamer werd gebracht en zowel Danny als Stella wist meteen dat het raak was.

Lyons was slank en goedgebouwd en had een verlopen gezicht dat hem ouder maakte dan zijn vierendertig jaar. Hij had duidelijk pijn bij het lopen, wat hij zonder succes probeerde te verbergen.

'Alles goed met jou?' zei Stella toen Lyons zich langzaam op de houten stoel aan de tafel liet zakken.

'Buikgriep,' zei hij.

'Kun je wel werken in een bakkerij als je buikgriep hebt?' vroeg ze.

'Je hebt gelijk,' zei Lyons. 'Misschien moet ik maar tegen de baas zeggen dat ik ziek ben.'

'Wil je je shirt even optillen?' vroeg Stella.

Lyons keek om zich heen, zuchtte en trok zijn shirt omhoog. De blauwe plek op zijn maag was ongeveer zo groot als een bord. Hij werd al paars, geel, rood en blauw.

'En wat zegt dat jullie?' vroeg Lyons.

'Wat heeft meneer Lyons gisteravond gegeten?' vroeg Stella aan Danny, die naar Lyons keek en antwoordde: 'Peperoni, worst en een heleboel pasta. Meneer Lyons houdt van pittige sauzen.'

'Hoe weet jij wat ik...' begon Lyons.

'Doe je mond open, Lyons,' commandeerde Stella.

De verwarde Ned Lyons deed zijn mond open en Stella boog zich naar hem toe om te kijken.

Toen ze weer rechtop ging zitten, zei Stella: 'Ik heb goed nieuws voor je. We hebben die ontbrekende tand gevonden.'

In het derde boek van Louisa Cormier had de moordenaar, een ogenschijnlijk zachtaardige kantoormanager, zich toegang verschaft tot een kast in de kelder van zijn derde slachtoffer met een vijfendertig centimeter lange, één komma twee kilo zware draadschaar met stalen handvatten.

Louisa had beschreven hoe het voelde en klonk om het slot door te knippen en het op de betonnen vloer te horen vallen. Louisa kon met een draadschaar omgaan. Het slot op de doos in Drietchs schietbaan was doorgeknipt met een draadschaar. Dat was duidelijk geworden uit de bestudering van het slot. Op de ochtend van de moord was Louisa volgens portier McGee haar gebruikelijke ochtendwandeling gaan maken met een grote tas van Barnes and Noble, die gemakkelijk groot genoeg was voor een draadschaar zoals de schrijfster in haar boek had beschreven.

Er bevond zich geen draadschaar in de verzameling voorwerpen die Louisa Cormier als herinnering in haar bibliotheek bewaarde.

Geen draadschaar, geen .22 kaliber pistool, ook niet na tweeëndertig minuten zoeken. Wat Mac wel vond in de onderste la van Louisa Cormiers bureau, waarop haar computer stond, was een gebonden manuscript. Hij legde het op het bureau, onder protest van Louisa Cormier.

'Dat is de opzet van een van mijn eerdere boeken, toen ik nog een schrijfmachine gebruikte. Het is nooit gepubliceerd. Ik was van plan er weer eens aan te werken en het klaar te maken voor publicatie. Ik heb liever niet...'

Louisa keek naar haar advocaat, Lindsey Terry, die een paar minuten eerder was gearriveerd. Hij hield zijn hand op om zijn cliënt te laten ophouden met protesteren.

Mac legde het manuscript op het bureau, sloeg de dikke, groene omslag open en keek naar de bovenste bladzijde.

'Leg het alstublieft terug,' zei ze. 'Het heeft niets te maken met draadscharen of pistolen.'

Mac sloeg het manuscript ongeveer in het midden open en keek naar de twee ronde gaten die in de bladzijden zaten.

Mac wees naar de bladzijden voor hem.

'Daar is helemaal niets sinisters aan,' zei Louisa. 'Ik heb op het boek geschoten.'

Mac hield zijn hoofd scheef als een vogel die iets vreemds bestudeerde dat misschien eetbaar zou kunnen zijn.

'Toen ik het af had, vond ik het verschrikkelijk slecht,' zei ze. 'Ik werkte toen in Sidestock in Pennsylvania voor een plaatselijke krant en deed freelance werk om mijn niet al te hoge salaris aan te vullen. Ik las het boek en ik vond het een ramp, een verspild jaar. Dus nam ik het mee naar het bos achter het huis en schoot erop. Ik dacht dat mijn potentiële leven als schrijver voorbij was voordat het echt van de grond was gekomen. Zomaar een impuls.'

'Maar u hebt het niet weggegooid,' zei Mac.

'Nee, dat heb ik niet gedaan. Dat hoefde ook niet. Ik had mijn wanhoop van me af geschoten. Ik kon mezelf er niet toe brengen het manuscript weg te gooien. En ik ben blij dat ik dat niet gedaan heb. Het is een herinnering aan het feit dat de muzen heel grillig kunnen zijn. En nu denk ik zelfs dat ik op een dag in staat zal zijn er nog iets van te maken.'

'Vindt u het erg als we dit meenemen?' zei Mac, die de laatste bladzijde van het manuscript opsloeg. 'U krijgt het weer terug.'

Louisa keek nog eens naar haar advocaat, Lindsey Terry, die zwijgend naast haar had gestaan. Terry was al oud; hij was meer dan tien jaar eerder met pensioen gegaan, maar was weer gaan werken na tot de conclusie te zijn gekomen dat de liefde voor het kweken van exotische vissen voorbij was. Oud of niet, Lindsey Terry was een ontzagwekkende man. Hij was slim en wist hoe hij zijn voordeel moest doen met zijn leeftijd. Mac was er ook zeker van dat Lindsey Terry plaats zou maken voor een andere advocaat, een veel prominenter lid van de beroepsgroep, als Louisa Cormier iets ten laste werd gelegd.

'Heeft dat manuscript iets te maken met de misdaad waarvoor u dat huiszoekingsbevel hebt gekregen?' vroeg de advocaat.

'Ja, meneer,' zei Mac. 'Volgens mij wel.'

'Ik wil niet dat hij het leest,' zei Louisa.

'Is het noodzakelijk dat u of iemand anders het manuscript leest?' vroeg de advocaat.

'Ik ben de laatste twee dagen een fan geworden,' zei Mac, die neerkeek op de opgeslagen bladzijde.

'Kunt u niet...' begon Louisa met een blik op de kale, gladgeschoren oude man met de vlekkerige huid naast haar.

'Nee,' zei Terry. 'Ik kan de rechercheur alleen maar waarschuwen dat zijn zoektocht gevaar loopt als hij de bepalingen daarvan overschrijdt.'

'Dat begrijp ik,' zei Mac terwijl hij opstond.

Aiden kwam de kamer binnen. Voordat Cormier of haar advocaat haar hadden gezien, schudde ze haar hoofd tegen Mac om aan te geven dat ze niets had gevonden.

'Wat is de naam van uw nieuwe boek?' vroeg Mac.

'*De tweede kans,*' zei ze.

Aiden ging op de stoel zitten die Mac had vrijgemaakt en zette de computer aan.

'Wat doet ze?' vroeg Louisa.

'Ze zoekt het programma met uw nieuwe boek,' zei Mac.

Aidens vingers bewogen snel van het toetsenbord naar de muis en ze kreeg een bureaublad op het scherm. Aan de rechterkant stond een map die *De tweede kans* heette. Ze klikte erop en scrolde naar het eind van het document.

'Bladzijde driehonderdenzes,' zei Aiden.

'Ik ben bijna klaar,' zei Louisa.

'Aiden ging naar het icoontje van de harddrive, klikte erop, opende de harddrive en vond mappen voor alle boeken van Louisa Cormier. Ze keek naar Mac en schudde haar hoofd.

'We zijn hier klaar,' zei Mac, die zijn handschoenen uitdeed en ze in zijn zak stak. Hij had het manuscript onder zijn arm en zijn koffertje in de andere hand.

Toen ze het appartement uit liepen, keek Mac achterom naar Louisa Cormier en besloot dat de beroemde schrijfster het blijkbaar niet langer interessant vond om verdacht te worden van moord.

'Wat is dat manuscript?' vroeg Aiden toen de lift naar beneden ging.

Mac gaf het haar. Aiden deed het open en keek naar de gaten.

'Laatste bladzijde,' zei Mac.

Aiden sloeg de laatste bladzijde op. Toen de lift stopte bij de hal, had ze genoeg gelezen om te weten dat de woorden waar ze naar had gekeken precies dezelfde waren als die ze op het schrijfmachinelint van Charles Lutnikov had aangetroffen.

14

'Stevie Guista,' zei Don Flack tegen Jacob Laudano de jockey.

Van waar hij stond, in de deuropening van het appartement, kon Don de hele kamer zien en het toilet en de wastafel achter de open badkamerdeur.

Don deed de deur achter zich dicht.

'Ik heb Big Stevie in geen maanden gezien,' zei Jacob.

'Hij was eergisternacht in het Brevard Hotel,' zei Flack. 'Net als jij.'

'Ik niet,' zei de jockey.

'Dan heb je zeker ook geen bezwaar tegen een confrontatie,' zei Flack.

'Een confrontatie? Waarvoor in godsnaam?'

'Om te kijken of iemand van het hotel je herkent,' zei Don. 'Als dat zo is, kom je boven aan het lijstje met verdachten van een moord te staan.'

'Wacht eens even,' zei Jake, die naar de tafel liep en ging zitten. 'Ik heb niemand vermoord. Niet eergisteren, nooit niet. Ik heb een strafblad, dat is waar, maar ik heb nooit iemand vermoord.'

'We hebben het nooit kunnen bewijzen,' zei Flack.

'Misschien was ik wel in het Brevard,' zei Jake. 'Ik kom er wel eens. Tussen ons gezegd en gezwegen, wordt in een van de kamers wel eens gekaart.'

'Eergisteren ook?' vroeg Don.

'Toen niet. Ik ben ergens anders heen gegaan.'

'Wie organiseert dat kaartspelletje?' vroeg Flack, die een stap naar Jake toe deed, zodat de laatste achteruit deinsde.

'Wie dat organiseert? Iemand die Paulie heet. Ik weet zijn achternaam niet. Nooit geweten. Alleen Paulie.'

'Ik wil Steve Guista hebben,' zei Don. 'Als ik op je moet gaan staan om hem te krijgen, komt er maar een kleine vlek op het vloerkleed.'

'Ik weet niet waar hij is. Ik zweer het.'

'Goed,' zei Don. 'Waarom zou je liegen?'

'Precies,' beaamde Jake.

Don stond voor het mannetje, die iemand eergisteravond heel goed naar het raam van Alberta Spanio had kunnen laten zakken en die vervolgens naar binnen had kunnen zwaaien en haar in de hals had kunnen steken.

Er was geen hard bewijs. Geen vingerafdruk. Geen getuige. Alleen het feit dat de jockey Guista kende, dat de laatste de kamer had gehuurd en dat het postuur van de jockey en zijn gewelddadige achtergrond hem een goede kandidaat maakten voor de misdaad.

Don haalde een kaartje tevoorschijn en gaf het aan de jockey, die ernaar keek.

'Bel me als Guista contact met je opneemt.'

'Waarom zou hij dat doen?'

'Jullie zijn vrienden.'

'Ik zeg toch dat we elkaar amper kennen.'

'Houd het kaartje toch maar,' zei Don. Hij liep het flatje uit en deed de deur achter zich dicht.

Toen hij er redelijk zeker van was dat de rechercheur weg was, keek Jake op en zag hij Big Stevie uit de badkamer komen hinken.

'Hij is te gemakkelijk weggegaan,' zei Big Stevie.

'Hij had niets,' zei Jake.

Stevie pakte het kaartje van de jockey aan en las het.

'Hij had je harder kunnen aanpakken,' zei Big Stevie. 'Ik heb zijn ribben ingedrukt. Hij zou spinnijdig moeten zijn.'

Stevie deed het kaartje van Don Flack in zijn zak en ging verder: 'Ik moet hier weg. Kijk in de gang of hij daar nog is.'

'Waar ga je heen?' vroeg Jake, die naar de deur liep.

'Ik moet nog wat afhandelen voordat hij me te pakken krijgt,' zei Stevie.

De jockey ging naar de deur, deed hem open, keek de gang in, draaide zich weer om naar Stevie en zei: 'Ik zie hem nergens.'

Stevie was via de achtertrap bij Jakes flat gekomen en daar ging hij nu weer heen nadat hij de jockey nog even had bedankt.

'Niets te danken, ik wou dat ik meer had kunnen doen,' zei Jake.

Stevie hinkte naar de achtertrap.

'Nog gefeliciteerd,' zei Jake.

Het was een domme opmerking. Dat wist hij, maar hij moest iets zeggen. Hij zag Stevie de deur naar de trap opendoen en erdoor verdwijnen. Toen ging Jake naar de telefoon en toetste een nummer in. Toen er werd opgenomen, zei hij: 'Hij is net weg. Ik denk dat hij naar jullie toe komt.'

'Even voor de duidelijkheid. Jullie willen dat ik mijn eigen broer erbij lap?' vroeg Anthony Marco.

Het was druk in de met gaas omsloten bezoekruimte op Riker's Island. Marco zat in een bescheiden, donker pak met een lichtblauwe das en met handboeien om achter de tafel met zijn advocaat, Donald Overby, een goed betaald lid van de firma Overby, Woodruff and Cole, naast zich. Overby was lang en slank en een jaar of vijftig, en zijn haar was met militaire strengheid geknipt. Zijn collega's noemden hem 'kolonel' omdat dat zijn rang was geweest toen hij tijdens de eerste Golfoorlog in het JAG-kantoor in Washington had gewerkt. Zijn cliënt werd voor de veiligheid echter alleen achter zijn rug om 'Bogie' genoemd. Hij had wel iets weg van Humphrey Bogart en gaf de mensen hetzelfde gevoel dat hij op de hoogte was van het geheim van de menselijke kwetsbaarheid. Maar Anthony straalde een gevaarlijke scherpte uit, een nerveuze, ongeduldige energie, die hem tot de tweede dag van de rechtszaak tegen hem had gebracht.

De assistent-openbaar aanklager die de zaak in behandeling had, was Carter Ward, een Amerikaan van Afrikaanse afkomst, een statige, zware man van achter in de zestig met een diepe stem. Hij sprak de jury's langzaam, zorgvuldig en eenvoudig toe en behandelde getuigen alsof hij teleurgesteld was als ze leugens leken te vertellen.

Ward en Stella zaten tegenover Marco en Overby. Stella voelde zich licht in het hoofd. Ze had twee aspirientjes en een beker lauwe thee genomen voordat ze de kooi binnengingen, die voor haar op een van de drie koudste dagen van het jaar drukkend warm aanvoelde.

'Dit is technisch rechercheur Stella Bonasera,' zei Ward rustig. 'Ik heb haar gevraagd bij dit gesprek aanwezig te zijn.'

Wat strikt gesproken waar was. Ward had haar gevraagd naar Riker's te komen, maar Stella had het plan geopperd, het bijgeschaafd en het laten goedkeuren nadat zij en Ward met de officier van justitie hadden gepraat, die heel graag wilde dat Anthony Marco met een rode strik om naar de gevangenis werd gestuurd. De doodstraf zou mooi zijn, maar gezien de grillen van het systeem was de officier van justitie bereid genoegen te nemen met elke straf die het publiek zou willen accepteren, zolang die maar heel lang was.

Marco knikte naar Stella. Ze knikte niet terug. Ward maakte zijn koffertje open en haalde er een blok geel gelinieerd papier uit.

'We weten allemaal dat het nieuws van de moord op Alberta Spanio uitgebreid door de media is behandeld,' zei Ward. 'We weten ook dat de jury, die nu in afzondering zit, op de hoogte is van het nieuws van de moord op de voornaamste getuige tegen u.'

Marco noch zijn advocaat antwoordde, dus ging Ward verder.

'Het zou dwaas zijn om te denken dat de juryleden niet tot de conclusie zijn gekomen dat uw cliënt achter die moord zat en hoewel de rechter en u opdracht zullen geven alleen de feiten die in de zaak worden gepresenteerd in ogenschouw te nemen, zal elk jurylid ervan overtuigd zijn dat Anthony Marco op de middag van zes september van het vorige jaar Joyce Frimkus en Larry Frimkus heeft vermoord. De moord op Alberta Spanio was een nagel aan uw doodskist.'

Ward keek naar Anthony Marco, die hem recht aankeek.

'Laten we het eens zo proberen,' ging Ward verder. 'Degene die haar heeft laten vermoorden, kan heel goed hebben geweten hoe nadelig dit voor u zou zijn. Als levende getuige was Alberta Spanio een randfiguur binnen de georganiseerde misdaad. Uw zeer kundige advocaat had haar geloofwaardigheid in twijfel kunnen trekken en zou dat ook zeker hebben gedaan. Maar nu een van de twee politiemannen die juffrouw Spanio moesten bewaken is vermoord in de bakkerij van uw broer, meneer Marco...'

'Die moord is helemaal niet relevant,' zei Overby.

'Dat kan wezen,' zei Ward. 'Maar ik zal een manier vinden om de jury ervan op de hoogte te stellen voordat de rechter verklaart dat het ontoelaatbaar is.'

'Wat wil je, Ward?' vroeg de kolonel.

'Laat rechercheur Bonasera u vertellen wat ze ontdekt heeft,' antwoordde Ward.

Stella vertelde over haar onderzoek: over de moord op Spanio, over de jacht op Guista, over het bewijs dat Collier in de bakkerij was vermoord.

Toen ze was uitgesproken, wilde ze het liefst een toilet opzoeken en met haar ogen dicht gaan zitten wachten op de volslagen misselijkheid.

'Geef ons genoeg bewijs om je broer te pakken voor een ernstig misdrijf,' zei Ward. 'Dan is de doodstraf van tafel.'

De gevangene en zijn advocaat fluisterden even met elkaar en toen ze daarmee klaar waren, zei de kolonel: 'Doodslag en u eist de minimum straf. Meneer Marco krijgt twintig jaar tot levenslang en komt na tien jaar uit de gevangenis, misschien nog veel eerder als u de deur openlaat.'

'Afgesproken,' zei Ward. 'Als de informatie die uw cliënt ons geeft op waarheid berust en belastend genoeg is.'

'Dat is ze,' zei de kolonel.

Anthony glimlachte naar Stella, die woedend probeerde te kijken, maar voelde een zware koortsigheid rond haar voorhoofd en haar bijholten.

'Wat kan het mij ook schelen,' zei Anthony. 'Dario heeft het verknald, of hij het nu met opzet deed of niet. Het maakt geen enkel verschil. Die verdomde broer van me wil mijn zaken overnemen.'

'En dat zijn?' vroeg Ward.

'Dat is privé,' antwoordde Marco. 'Dat maakt onderdeel uit van onze afspraak als we die kant uitgaan.'

Ward knikte instemmend.

'Mijn broer Dario is een sluwe idioot,' zei Marco hoofdschuddend. 'Een dwerg of een jockey door een raam. Wat kun je nog meer voor stoms bedenken?'

Stella hield haar mond, niet alleen omdat ze ziek was en het liefst weg wilde, maar omdat ze er zeker van was dat Alberta Spanio niet vermoord was door een dwerg of door Jacob de jockey. De waarheid leek lastig te achterhalen, maar was toch volkomen logisch als je de bewijzen van de plaats delict bekeek.

Ward legde zijn taperecordertje op zijn bureau en ging met gevouwen handen rechtop zitten.

Anthony Marco begon te praten.

Sheldon Hawkes was door Mac gebeld met het verzoek om het lichaam van Charles Lutnikov uit de opslagruimte te halen. Toen Aiden en Mac arriveerden, lag Lutnikovs naakte, witte lichaam op de metalen tafel, die glansde onder het intens witte licht. Een huidflap was weggeslagen om zijn snel rottende organen te onthullen.

'Leg die huidflap eens terug,' zei Mac.

Hawkes legde de flap terug en Aiden kwam voor de dag met het manuscript met de twee gaten, dat ze uit het appartement van Louisa Cormier hadden meegenomen.

Ze hield het boek voor Hawkes open. Hij bekeek het en knikte. Hij wist wat Mac en Aiden wilden. Dat kon hij op twee manieren doen, als het er niet meer waren. Hij haalde een blik doorzichtige, buigzame plastic staafjes van zestig centimeter lang uit een kast, trok er twee uit en zette de rest weg.

Toen stak hij de staafjes in de gaten in het lichaam. Het lijk was slap geworden. Hij moest zachtjes duwen om ervoor te zorgen dat de staafjes het pad van de kogel volgden. Het kostte hem ongeveer drie minuten, waarna hij achteruit ging en Aiden bij het lijk liet. 'Kunnen we het grootste deel van die staven wegknippen zonder ze te bewegen?' vroeg ze. Hij knikte, ging naar een kast, haalde er een grote, glinsterende, metalen schaar uit en knipte de staafjes af, zodat ze nog maar een paar centimeter uit het lichaam staken. Toen hield ze het manuscript zo dat de staafjes in gelijke lijn lagen met de gaten. Het paste precies. Met een beetje moeite had ze het boek aan de dode man kunnen steken, maar dat was niet nodig.

'Conclusie,' zei Hawkes, die zich over het lichaam boog om de staafjes te verwijderen, 'het pistool waarmee Charles Lutnikov is vermoord heeft ook die twee gaten in jullie manuscript gemaakt.'

'Hij hield het manuscript voor zijn lichaam toen ze schoot,' zei Mac. 'De kogel ging door het papier, sprong er weer uit en viel daarna in de liftschacht.'

'Dat klinkt logisch,' zei Hawkes.

'Maar hebben we genoeg voor een arrestatie?' vroeg Aiden.

'Ze heeft een goed verhaal nodig,' zei Hawkes.

'Ze schrijft detectives,' zei Aiden.

'Helemaal niet,' zei Mac. 'Dat deed Lutnikov.'

'Terug naar af en haar beste verdediging,' zei Aiden. 'Waarom zou ze de kip die de bestsellers legde willen vermoorden?'

'Terug naar de dame,' zei Mac.

'Heb je het lichaam nog nodig?' vroeg Hawkes.

Mac schudde zijn hoofd en Hawkes rolde de tafel naar de rij laden waarin de doden lagen.

'We moeten nog steeds het pistool en de draadschaar hebben,' merkte Aiden op toen ze het laboratorium van Hawkes uit liepen. 'En die heeft ze waarschijnlijk weggewerkt.'

'Waarschijnlijk wel,' beaamde Mac. 'Maar het is niet zeker. We hebben drie belangrijke dingen op haar voor. Ten eerste weet zij waar ze zijn. En ten tweede weet ze niet hoeveel wij weten of hoeveel we kunnen ontdekken op een plaats delict.'

'En ten derde?' vroeg Aiden.

'De draadschaar,' zei hij. 'Die heeft ze gebruikt in een van de eerste drie boeken, een boek dat ze zelf heeft geschreven. Alle trofeeën in haar bibliotheek zijn van de eerste drie boeken. Ze wil de draadschaar waarschijnlijk houden.'

'Misschien wel,' zei Aiden.

'Waarschijnlijk wel,' zei Mac. 'Ze weet niet dat wij een draadschaar in verband kunnen brengen met datgene wat is doorgeknipt.'

'Laten we het hopen,' zei ze. 'Zelfs als we hem vinden, hebben we ook het pistool nog nodig.'

'Een stuk bewijs tegelijk,' zei Mac.

Weggaan was geen optie. Dat wist Big Stevie. Hij had er het geld niet voor en ook niet de hersens, en zowel de politie als Dario's mensen waren naar hem op zoek.

De taxichauffeur bleef steeds naar hem kijken in het spiegeltje. Het kon Stevie niet schelen.

Stevie had een taxi genomen bij de standplaats voor het Penn-station. De chauffeur had achter het stuur een paperback zitten lezen. Hij had over zijn schouder gekeken toen Stevie het portier dichtdeed en meer gezien dan hij wilde zien.

Als Stevie hem op straat had aangeroepen, zou de chauffeur, Omar Zumbadie, zijn doorgereden. De beer van een oude, blanke man moest zich nodig scheren. En schone kleren aantrekken. Hij rook naar iets smerigs. Omar bad dat de oude man niet zou gaan kotsen. Hij leek niet dronken, alleen moe en hij knikkebolde in een soort trance.

De taxichauffeur nam de Riverside Drive in noordelijke richting naar de George Washington Bridge, in de richting van de Cross Bronx Expressway. Big Stevie telde zijn geld. Hij had nog drieënveertig dollar en hij bloedde weer door het provisorische verband dat de jockey strak om zijn been had gebonden.

Als Stevie een wraakzuchtig man was geweest, had hij de rechercheur die naar de flat van de jockey was gekomen vermoord. Het zou gemakkelijk zijn geweest. De rechercheur, die volgens het kaartje dat hij aan de jockey had gegeven Don Flack heette, had Big Stevie in zijn been geschoten. Een felicitatie van de stad New York, die kogel. De kogel was er niet meer, maar het deed pijn en de pijn breidde zich uit. Big Stevie lette er niet op. Het zou binnenkort voorbij zijn en als hij geluk had, wat waarschijnlijk niet zo zou zijn, zou hij wat geld hebben en Dario Marco kwijt zijn.

Het leven was oneerlijk, dacht Stevie toen de taxi de afrit Castle Hill nam. Dat aanvaardde Stevie, maar Dario's verraad door twee mannen van de bakkerij te sturen om hem te vermoorden, was meer dan oneerlijk. Stevie was een goede soldaat geweest, een goede chauffeur. De klanten op zijn route mochten hem. Hij kon goed met kinderen opschieten, zelfs die van Dario, die met hun negen en veertien jaar op hun vader leken en niemand vertrouwden.

Vergeet dat het oneerlijk is. Nu ging het erom de zaak gelijk te trekken en misschien in leven te blijven. De andere optie was de agent bellen wiens kaartje hij nu in zijn hand hield. Hem bellen en daarna urenlang verhoord worden en mensen verraden, een pak aantrekken en zo naar Dario's proces gaan, zodat een van Dario's advocaten hem voor gek kon zetten. En dan de gevangenis. Het maakte niet uit hoe lang. Het zou lang genoeg zijn en hij was al oud.

Nee, dit was het enige wat hij kon doen.

'Meneer,' zei Omar.

Stevie bleef uit het raampje staren. Hij had het kaartje van de rechercheur weer in zijn zak gestoken en had zijn hand om het beschilderde diertje geslagen dat Lilly voor hem had gemaakt.

'Meneer,' herhaalde Omar, die er wel voor zorgde niet in het minst geïrriteerd te klinken.

Stevie keek op.

'We zijn er,' zei Omar.

Stevie kwam weer tot zichzelf en herkende de kruising waar ze waren gestopt. Hij gromde en stak zijn hand in zijn zak.

'Hoeveel?'

'Twintig dollar en zestig cent,' zei Omar.

Stevie stak zijn hand door het licht beslagen, kogelvrije schuifraam dat Omar openschoof en gaf de chauffeur een briefje van twintig en een van vijf.

'Zo is het wel goed,' zei Stevie.

Omar staarde naar de bankbiljetten terwijl Stevie uitstapte. Dat was niet gemakkelijk. Zijn goede been moest samen met zijn handen al het werk doen. Maar Stevie had sterke handen.

'Bedankt,' zei Omar.

Op de biljetten in zijn hand stonden bloederige vingerafdrukken, vingerafdrukken die er vers uitzagen.

Omar wachtte tot Stevie het portier had dichtgegooid en scheurde toen weg. Hij legde de twee biljetten boven op de paperback op de stoel naast hem.

Het slimste, dacht Omar, was om deze biljetten zo goed mogelijk schoon te maken en de grote man te vergeten. Hij was er zeker van dat de meeste taxichauffeurs dat zouden doen, maar Omar had bloed op mannenhanden gezien in Somalië, en in Somalië was bijna niemand bereid geweest naar voren te komen en de moordenaars van vrouwen en kinderen aan de kaak te stellen, en er was ook eigenlijk niemand geweest aan wie ze hun verhaal hadden kunnen vertellen. Voor gerechtigheid, dacht hij onder het rijden, zette je je eigen leven en dat van je familie op het spel.

Maar dit was Amerika. Hij was hier legaal. Het leven was niet volmaakt en niet altijd veilig, vooral niet voor een taxichauffeur. Omar was een goede moslim. Hij deed wat een goede moslim volgens hem moest doen. Hij pakte zijn radio en belde de centrale.

'Had je je schoenen aan of uit?' vroeg Stella, die met haar ogen dicht achter het bureau zat met een kop zwarte koffie voor zich. Ze hield de telefoon tegen haar linkeroor en haar rechterhand tegen de beker koffie. Ze had het koud.

'Uit,' zei Ed Taxx in de telefoon in zijn woonkamer. 'We waren net opgestaan en hadden onze broeken en overhemden en sokken aangetrokken.'

'Weet je het zeker?' vroeg Stella.

'Ben je wel in orde?' vroeg Taxx.

Dat vroeg iedereen tegenwoordig.

'Ja, hoor,' zei ze. 'Dank je.'

'Is dat alles?' vroeg Taxx. 'Is dat alles wat je hoeft te weten?'

'Voorlopig wel,' zei Stella.

'Mooi,' zei Taxx. 'Neem vijftien aspirientjes en bel me morgenochtend.'

'Doe ik,' zei Stella vlak.

'Ik maakte een grapje,' zei Taxx.

'Dat weet ik,' zei Stella, 'maar het was toch bijna een goed advies.'

Ze hing op.

15

Noah Pease, Louisa Cormiers nieuwe, dure advocaat, deed Mac met zijn gladgeschoren gezicht en koninklijk slanke lichaam denken aan een van de personages uit *Spoon River* van Edgar Lee. Pease was een jaar of vijftig en had een ruw, maar knap gezicht en een diepe stem, die hem samen met zijn ervaring als advocaat van vooraanstaande zakenmensen, sportlieden en acteurs in strafrechtzaken volmaakt geschikt maakten voor de televisie.

Naast Pease op de bank zat Louisa Cormier, elegant gekleed in een goed gestreken pakje, met haar rug naar het raam en het panoramische uitzicht op de stad. Tegenover hen zaten Mac Taylor en Joelle Fineberg, een klein vrouwtje in een groen pakje, dat iets meer dan een jaar bij het openbaar ministerie werkzaam was. Ze leek net zestien.

De totale juridische praktijkervaring in de woonkamer van Louisa Cormier was zevenentwintig jaar. Een van die jaren behoorde toe aan Joelle Fineberg.

'U beseft natuurlijk, juffrouw Fineberg,' zei Pease langzaam, 'dat juffrouw Cormier haar volledige medewerking verleent. Op dit punt is er niets dat haar kan dwingen met u te praten, tenzij u een aanklacht tegen haar wilt indienen.'

'Dat begrijp ik,' zei Fineberg en haar stem en glimlach drukten haar waardering voor deze medewerking uit.

'Niemand weet van uw onderzoek of dat van de politie en uw technische recherche,' zei Pease met een blik op Mac. 'De beschuldiging van rechercheur Taylor dat mijn cliënt haar eigen boeken niet heeft geschreven, mag niet openbaar gemaakt worden. Als dat toch op enige wijze gebeurt, zullen wij een aanklacht indienen tegen de stad New York en rechercheur Taylor en een schadevergoeding eisen van achttien miljoen dollar. En ik heb er alle vertrouwen in dat we dat bedrag kunnen krijgen. Begrijpt u wat ik wil zeggen?'

'Volkomen,' zei Fineberg, die haar gevouwen handen boven op het attachékoffertje op haar schoot hield. 'Uw cliënt vindt haar reputatie belangrijker dan het feit dat wij een aanklacht wegens moord tegen haar voorbereiden.'

'Mijn cliënt heeft niemand vermoord,' zei Pease.

Louisa zei niets en reageerde niet op Finebergs beschuldiging, duidelijk op aandringen van haar advocaat.

'Wij geloven van wel,' zei Fineberg.

'Goed,' zei Pease. 'Laten we jullie bewijzen eens doornemen. Een huurder van dit gebouw is doodgeschoten met een .22 kaliber pistool. Er is geen wapen gevonden. Er zijn geen getuigen. Geen vingerafdrukken. Geen DNA-sporen.'

'De dode man schreef de boeken van uw cliënt,' zei Fineberg. 'Hij heeft twee kogelgaten in zijn lijf en die kogels zijn ook door het manuscript gegaan dat hij bij zich had en dat rechercheur Taylor en zijn mensen in dit appartement hebben aangetroffen.'

Pease knikte.

'Laten we veronderstellen dat dit waar is,' zei Pease, 'en let wel, het is niet meer dan een veronderstelling, dan komt bij mij meteen al een verklaring op. Het pistool is van meneer Lutnikov of iemand die met hem in de lift staat. De twee mensen maken ruzie. De andere persoon schiet meneer Lutnikov dood en vlucht. De dode meneer Lutnikov gaat omhoog naar deze verdieping. Hij of zijn moordenaar heeft op de knop gedrukt. Mijn cliënt staat hem op te wachten om het manuscript in ontvangst te nemen. De liftdeur gaat open en ze ziet Lutnikov dood liggen met het manuscript tegen zijn borst gedrukt. Ontzet, maar wanhopig neemt ze het manuscript mee nadat ze zich ervan overtuigd heeft dat de arme man dood is, en dan stuurt ze de lift terug naar de lobby, waar ze weet dat hij ontdekt zal worden. Niet erg doordacht misschien, maar een jury zou met haar meevoelen. Bovendien moet ik u eraan herinneren dat u geen moordwapen heeft.'

'Ik ben onschuldig,' zei Louisa Cormier plotseling.

Er lag geen enkele verontwaardiging of een beroep op hun medeleven in haar stem. Het was een eenvoudige verklaring.

Pease legde zijn hand op de schouder van zijn cliënt en keek naar Joelle Fineberg. 'En denk eraan dat dit slechts het eerste mogelijke

179

scenario is dat ik kan bedenken,' zei Pease.

Daar twijfelden Fineberg en Mac geen moment aan.

'We hebben genoeg om aan een jury voor te leggen,' zei Fineberg.

Pease haalde zijn schouders op.

'Publiciteit, een rechtszaak die verloren wordt door het Openbaar Ministerie en een eis om schadevergoeding van mijn cliënt,' zei hij.

'Mijn cliënt heeft Charles Lutnikov niet vermoord en ook heeft hij haar boeken niet geschreven. De tekst die Charles Lutnikov heeft gekopieerd uit de oorspronkelijke en laatste roman van mijn cliënt was een eenmalige gunst voor een fan die juffrouw Cormier al jaren lastigviel.'

'Dus ze gaf hem een uitdraai van een voltooid boek zodat hij het kon kopiëren?' vroeg Fineberg.

'Nee,' zei Pease, 'zodat hij het als allereerste kon lezen. Ze had geen idee dat hij het kopieerde tot hij haar belde en het vertelde. Ze drong erop aan dat hij haar zijn gekopieerde manuscript kwam brengen, wat hij deed. Hij hield het tegen zijn borst gedrukt toen hij werd neergeschoten door zijn moordenaar, wie dat ook mag zijn.'

'Zo is het gegaan,' zei Louisa.

'U hebt ons gisteren verteld dat u nog met het boek bezig was,' zei Mac.

'Ik was het aan het corrigeren,' zei Louisa. 'U hebt het verkeerd begrepen. Ik was bezig met de correcties.'

'Mag ik u een vraag stellen?' vroeg Mac.

Louisa keek naar Pease, die zei: 'U kunt vragen stellen, maar ik kan mijn cliënt het advies geven niet te antwoorden. We willen de politie helpen de moordenaar van meneer Lutnikov te vinden.'

Fineberg verbaasde zich niet over Macs vraag. Hij had hem aan haar voorgelegd toen ze op weg waren naar het appartement.

'Kunt u de betekenis geven van een van de volgende woorden?'

Mac had een klein aantekenboekje uit zijn zak gehaald.

'Moefti, kruiperig, tendentieus.'

Louisa Cormier knipperde met haar ogen.

'Ik weet niet...' begon ze.

'Die woorden staan in uw boeken,' zei Mac. 'Ik heb er nog zeventien waar ik u naar wil vragen.'

'Gebruik je een thesaurus, Louisa?' vroeg Pease rustig.

'Soms wel,' antwoordde ze.

Pease hief met een glimlach zijn handen. 'En onze getuige-deskundige die zal verklaren dat Charles Lutnikov de boeken van Louisa Cormier heeft geschreven?' vroeg Fineberg.

'Ik heb vijf getuige-deskundigen die zullen zeggen dat ze haar eigen boeken heeft geschreven,' zei Pease. 'Allemaal met een doctoraat op zak. Wat gaan we verder doen?'

'We gaan het moordwapen vinden,' zei Mac. 'En de draadschaar die uw cliënt heeft gebruikt om het slot bij Drietchs schietbaan open te knippen.'

'Veel succes,' zei Pease. 'Volgens uw eigen rapport is het wapen dat op de schietbaan in die doos is aangetroffen niet het wapen waarmee meneer Lutnikov is vermoord.'

'Inderdaad niet,' zei Mac, die naar Louisa keek, 'maar ik denk dat ik weet waar het wapen waarmee Lutnikov vermoord is zich bevindt.'

'En de onvindbare draadschaar?' vroeg Pease.

Mac knikte.

'Allemaal bluf,' zei Pease. 'Waar zijn ze dan?'

'Waar iedereen ze kan zien,' zei Mac. 'Klinkt dat bekend, juffrouw Cormier?'

Louisa Cormier verschoof wat in haar stoel en keek hem niet aan.

'Ik geloof dat we hier klaar zijn,' zei Pease. 'Tenzij u mijn cliënt wilt arresteren.'

Joelle Fineberg stond op. Mac en Pease volgden haar voorbeeld. Louisa Cormier bleef naar Mac zitten kijken.

Toen ze in de lift naar beneden gingen, zei Joelle Fineberg: 'Waar iedereen ze kan zien? Waar heb je dat vandaan, Poe of Conan Doyle?'

'Uit een van de boeken van Louisa Cormier,' zei Mac. 'Ik weet niet waar zij het vandaan heeft.'

De lift arriveerde in de lobby en de deuren gingen open.

'Bel me als je iets hebt,' zei ze.

Mac knikte.

In de lobby passeerden ze McGee, de portier, die knikte en glimlachte. Het sneeuwde weer, niet hard, maar toch. De temperatuur was gedaald tot −15 °C.

'Het pistool bevindt zich in dit gebouw,' zei Mac. 'Ze kan het niet kwijt.'

'Waarom?'

'Omdat we weten dat ze het heeft,'

'Je hebt haar pistool al bekeken,' zei Fineberg. 'Er was niet mee geschoten.'

'Met het pistool dat ze ons heeft laten zien was niet geschoten,' corrigeerde hij.

Nu was het de beurt van de openbare aanklager om te knikken.

'En de draadschaar?' vroeg Joelle Fineberg. 'Stel dat ze die wel heeft laten verdwijnen?'

'Ze denkt dat ze slim genoeg is om ermee weg te komen.'

'Waarmee?'

Mac glimlachte en liep naar de trap. Joelle keek hem even na, maar toen knoopte ze haar jas dicht, sloeg een sjaal om haar hals en zette een paar donkere oorwarmers op die ze uit haar zak haalde.

Toen ze achterom keek, was Mac uit het zicht verdwenen. McGee hield de deur voor haar open en ze stapte de bittere, snijdende kou in.

'Waar heb je dit vandaan?' vroeg Hawkes.

'Een tissue tussen het afval,' antwoordde Danny. Ze zaten in de vierkante kamer met tegelvloer in de kelder van het hoofdkwartier van de technische recherche, waar de koffie-, frisdrank-, sandwich- en snoepautomaten langs de wanden stonden als gokmachines in de toiletruimtes in Las Vegas. Boven hen sputterde een van de tl-buizen.

Sheldon Hawkes legde zijn broodje tonijn met te veel mayonaise op het papieren bordje voor hem en nam het objectglaasje van Danny aan.

'Ga mee naar boven, dan kun je het onder de microscoop bekijken,' zei Danny.

'Heb je het geïdentificeerd?' vroeg Hawkes, die het glaasje teruggaf en zijn broodje oppakte.

'Zeldzaam, maar niet heel zeldzaam,' zei Danny.

'Heb je het al tegen iemand gezegd?'

'Er is niemand,' zei Danny. 'Stella belde. Ze zei dat ze onderweg hiernaartoe was en vroeg of ik alle foto's van de plaats delict van Spanio klaar wilde leggen.'

'Hoe klonk ze?'

'Ziek,' zei Danny.

Hawkes at zijn broodje op, dronk het laatste slokje Dr. Pepper light, gooide zijn afval weg en stond op.

'Laten we maar eens gaan kijken,' zei hij.

Voor Stella op tafel lagen de netjes gerangschikte foto's van de slaapkamer waarin Alberta Spanio was vermoord en de aangrenzende badkamer. Ze was met name geïnteresseerd in de badkamer.

Ze koos vier foto's en bekeek ze met haar gezicht er vlak boven. Haar geheugen had haar niet in de steek gelaten. De pijn in haar hoofd en de misselijkheid werden erger als ze voorovergebogen zat. Stella stak haar hand uit naar de thee die ze probeerde te drinken in de hoop dat het de misselijkheid zou verminderen. De thee was niet erg uitnodigend. Ze bedacht zich.

Ze was ervan overtuigd dat ze gelijk had. Ze was er redelijk zeker van dat ze wist wat er was gebeurd en wie Alberta Spanio had vermoord en misschien zelfs waarom Collier was vermoord. Als ze geen griep had gehad, wat ze nu wel toegaf, zou ze er veel eerder achter zijn gekomen.

Er kwam iemand binnen door de deur achter haar. Stella stond op en draaide zich om. Ze voelde zich licht in het hoofd, maar vastberaden.

Hawkes en Danny kwamen binnen.

'Ik ben eruit,' zei ze en ze vroeg zich af wat Hawkes hier deed. Hij liet zijn lijken zelden alleen, behalve om te eten en naar huis te gaan.

'Waaruit?' vroeg Danny die samen met Hawkes naar haar toe liep.

'De moord op Spanio,' zei ze.

'Fantastisch,' zei Danny.

'Ik moet Mac bellen,' zei Stella.

'Ik wil je even wat objectglaasjes laten zien,' zei Danny.
Hawkes hield twee glaasjes omhoog.
'Kan het niet...'
Hawkes schudde zijn hoofd.
'Wat is er aan de hand?' vroeg ze.
'Kijk nou maar naar die glaasjes,' zei Danny.
Stella zuchtte, liep naar een microscoop, deed het licht aan en nam de glaasjes van Danny over. Ze ging zitten en de twee mannen kwamen achter haar staan. Ze stelde scherp op het eerste glaasje. De microscoop was een multifunctioneel en krachtig apparaat. Met een paar handgrepen had ze de glaasjes naast elkaar liggen, zodat ze vergeleken konden worden.
'Een virus,' zei ze. 'Op beide glaasjes hetzelfde.'
'Weet je wat het is?' vroeg Hawkes.
'Ik herken het niet,' zei Stella.
'Het is leptospirose,' zei Hawkes.
Stella knipperde met haar ogen en ging in gedachten de catalogus van ziekten af.
'Dat is zeldzaam,' zei Stella.
'Per jaar honderd tot tweehonderd gevallen in de Verenigde Staten,' zei Danny. 'De helft daarvan in Hawaii. Het is normaal gesproken een tropische ziekte.'
'Dit is een uitzondering,' zei Hawkes. 'Wat weet je van de ziekte?'
'Een bacteriële infectie, meestal opgelopen door contact met dierlijke urine,' zei ze. 'Een van onze zaken? Lutnikov, Spanio, Collier, een van de mannen van Dario Marco?'
'Nee,' zei Hawkes. 'Jij bent het. Danny heeft een monster genomen van een tissue dat je hebt weggegooid. Je hebt geen griep. Wat weet je van leptospirose?'
'Bijna niets,' zei Stella, die achterover leunde en haar ogen dichtdeed.
Hawkes legde zijn hand tegen haar voorhoofd.
'Koorts,' zei hij. 'Hoofdpijn?'
'Ja.'
'Koude rillingen, spierpijn, braken?'
'Misselijkheid, meer niet.'

Hawkes draaide haar zachtjes om in de stoel en keek naar haar gezicht.

'Een beetje geelzucht, rode ogen,' zei hij.

'Je klinkt alsof je een sectie aan het doen bent,' zei Stella.

'Mijn patiënten zeggen meestal niets terug,' zei hij.

'Buikpijn, diarree?'

'Van allebei een beetje,' zei Stella.

'Ziekenhuis,' zei Hawkes.

'Wat dacht je van een poliklinische behandeling?' vroeg ze. 'Ik ben er echt bijna met die moord op Spanio.'

'Danny neemt het wel over. Weet je wat je kunt krijgen van een onjuist behandelde leptospirose? Nierschade, hersenvliesontsteking, leverfalen. Ik heb er wel eens iemand aan dood zien gaan. Wanneer heb je symptomen gekregen?'

'Gisteren,' zei Stella gelaten. 'Misschien de dag daarvoor.'

'Kun je je herinneren dat je in contact bent geweest met dierlijke...' begon Hawkes.

'Die katten,' zei Danny.

'Wat was daarmee?' vroeg Hawkes.

'Een oude vrouw die was overleden in haar huis aan de East Side,' zei Stella. 'Een poezenvrouwtje. We hebben er zevenenveertig kunnen vinden. We hebben het huis onderzocht alsof het een plaats delict was, omdat er sporen waren dat iemand had ingebroken, maar ze had een hartaanval gehad. Te zwaar en achtenzeventig jaar oud. Ze zorgde niet goed voor zichzelf.'

'En ook niet voor haar katten,' zei Hawkes. 'Waar zitten die nu?'

'Die zijn opgenomen in het asiel,' zei Danny.

Hawkes schudde zijn hoofd.

'Kijk of je kunt nagaan waar ze gebleven zijn,' zei Stella tegen Danny.

'En of sommige ervan onlangs overleden zijn,' voegde Hawkes eraan toe. 'Ik zou ze graag allemaal hierheen laten brengen.'

'Ik denk dat ze op een paar gelukkige beesten na allemaal een spuitje hebben gehad en gecremeerd zijn. Behandeling?'

'Een ziekenhuisbed,' zei Hawkes. 'Antibiotica, waarschijnlijk doxycycline. Ik zal Kirkbaum bellen en een kamer voor je reserveren.'

'Hoe lang?' vroeg Stella.

'Als we er vroeg bij zijn misschien twee of drie dagen. Zo niet, dan hebben we het over een week of twee. Te oordelen naar de hoeveelheid virus kan het best zijn dat Danny je het leven heeft gered.'

Danny grinnikte tevreden en duwde zijn bril goed.

'Ik ben een koppige idioot,' zei ze. 'Dank je.'

'Graag gedaan,' zei Danny. 'En je bent inderdaad een enorm koppige idioot.'

Stella ging staan en zei: 'Danny, neem de foto's van Spanio mee en zeg tegen Mac dat hij zo snel mogelijk naar het ziekenhuis komt.'

'Het komt wel goed met je,' zei Hawkes. 'Ik heb nog nooit klachten gehad van een patiënt.'

'Dat komt omdat ze allemaal dood zijn,' zei Stella.

Er stond een agent in uniform bij de ingang van Marco's Bakery en nog een agent in uniform bij de achteruitgang, op het laadperron. Dat verbaasde Big Stevie niet.

De enige vraag was: stonden die agenten daar om Marco binnen te houden of om Stevie of iemand anders buiten te houden?

Het maakte niet uit. Stevie wist nog minstens twee andere manieren om het gebouw in te komen. Hij wist dat het raam van het herentoilet gemakkelijk open te krijgen was. Zelfs als het op slot was, zou hij geen moeite hebben de kleine schuifgrendel met een flinke ruk kapot te maken. Hij zou niet eens veel geluid maken.

Het probleem met het wc-raam was, dat hij iets zou moeten zoeken om op te staan en zich af te zetten en dan naar binnen moest klimmen. Normaal gesproken zou dat geen probleem zijn. Maar nu zijn been steeds stijver werd, zou het misschien te moeilijk voor hem zijn. Eenmaal in het toilet zou hij langs de bakkers en hun assistenten moeten. Die waren eraan gewend hem daar te zien, normaal gesproken tenminste. Normaal gesproken zou niemand veel aandacht hebben geschonken aan de grote man, maar vandaag kon dat wel eens heel anders zijn. Hij betwijfelde of er iemand in de bakkerij was die hem zelfs in deze verzwakte toestand, nu hij bloedde en liep als een mummie in een oude film, tegen zou kunnen houden en de meesten zouden waarschijnlijk gewoon doen alsof ze hem helemaal niet gezien hadden. Ze hadden allemaal in de bajes gezeten. Daar moest je doof en blind zijn. Het was de enige manier om er te overleven.

Nee, hij zou de opslagkelder moeten nemen. Hij wist niet of hij een van de ondoorzichtige ramen kon openmaken zonder geluid te maken en de aandacht te trekken. Hij wist wel dat hij niet gezien zou worden door de agent op het laadperron. Het eerste raam was stevig en er was geen beweging in te krijgen. Het was waarschijnlijk in geen twintig jaar of nog langer open geweest. Het tweede raam had vier ruiten. De smerige glazen ruit in de rechterbovenhoek zat los en het raam zelf gaf iets mee.

Stevie vond een stukje beton en knielde bij het lage raam. Hij trok een stuk van zijn hemd, legde het tegen het losse ruitje en sloeg er zachtjes op met het stuk beton. Hij maakte niet veel lawaai, maar het ruitje gaf niet mee. Hij probeerde het nog eens en sloeg wat harder. Er kraakte iets. Nu zat er een gat ter grootte van zijn vuist in het glas. Hij legde het stuk beton neer en haalde het afgescheurde stuk hemd uit het gat.

Stevie stak zijn dikke vingers door het gat in het glas. Hij voelde dat hij zich sneed, maar sloeg er geen acht op en wrikte langzaam het bovenste stuk glas los. Daarna legde hij het op de grond.

Hij veegde zijn bloedende vingers af aan zijn toch al bebloede broek en stak zijn hand door het gat in het raam. Er was net genoeg ruimte om zijn hand en arm erdoor te krijgen en bij het slot te komen. Het was vastgeroest, maar Stevie was vastbesloten. Hij duwde. De verroeste, metalen grendel kwam los. In een ongemakkelijke zithouding stak hij zijn rechterarm naar binnen en oefende druk uit op het raam. Het raam weerstond de druk. Maar Stevie voelde hoe het langzaam de strijd verloor. Plotseling schoot het hele raam op piepende scharnieren omhoog.

Stevie knielde hijgend en luisterde of hij rennende voetstappen hoorde, maar er kwam niemand.

Het gemakkelijke deel van het karwei zat erop. Nu kwam het moeilijke deel, namelijk om zijn grote lichaam door het open raam te krijgen. Hij wist dat het maar net zou lukken. Hij deed zijn jas uit en legde die op de grond.

Er ging een koude wind door hem heen en hij besefte dat het weer sneeuwde. Hij werd zwakker en hij zou snel moeten handelen nu hij er nog toe in staat was.

Hij stak zijn gewonde been door het open raam, gevolgd door zijn goede been, en begon zich achterwaarts door de opening te duwen. Toen hij met zijn buik in het gat zat, voelde het strak aan, maar niet onmogelijk strak. Hij bleef zichzelf naar achteren duwen. Zijn maag schraapte over het dunne metalen kozijn en hij was er niet zeker van of hij er wel door kon. Op dat punt wist hij dat hij zich nooit meer naar buiten zou kunnen trekken. Hij worstelde grommend verder en zag het bloed van zijn vingers in de sneeuw druppelen en toen viel hij opeens door het raam en achterwaarts de stoffige duisternis in.

Hij bleef hijgend op zijn rug liggen, buiten adem en met zijn ogen dicht. Big Stevie had pijn. Hij had het koud. En hij bloedde. Maar hij had een taak te verrichten en hij bevond zich in Marco's Bakery.

De zoekcirkel rond Drietchs schietbaan was vergroot. Twee geüniformeerde agenten hielpen Aiden zoeken naar de vermiste draadschaar.

Aiden was er zeker van dat Louisa Cormier eenvoudigweg het slot had doorgeknipt, haar vingerafdrukken eraf had geveegd en het ding op de schietbaan had gegooid. Waarom had ze niet hetzelfde met de draadschaar gedaan of het slot en de schaar bij het afval gegooid?

Ze hadden hem inmiddels gevonden moeten hebben.

De telefoon in haar zak trilde en ze nam op.

'Kom naar het lab,' zei Mac. 'Ik heb de draadschaar gevonden.'

'Waar dan?'

'In de kelder van Louisa Cormiers flatgebouw,' zei hij. 'Ze had hem bij het andere gereedschap gehangen. De onderhoudsman heeft een draadschaar, maar hij zei dat het niet deze was.'

'Ze heeft hem in het volle zicht verborgen,' zei Aiden.

'Recht uit haar vierde boek,' zei Mac. 'Of moet ik zeggen, recht uit Charles Lutnikovs eerste Louisa Cormier-boek? Alleen ging het daarin om een schop.'

'Vingerafdrukken?'

'Eentje,' zei Mac. 'Gedeeltelijk. Goed genoeg voor identificatie. Hij is van Louisa Cormier.'

'Ik kom eraan,' zei Aiden. Ze ging op zoek naar de twee agenten die de omgeving afzochten.

'Ik ben op weg naar het ziekenhuis,' zei hij.

'Oké,' zei Aiden, die niet goed wist wat ze ervan vond om weer de confrontatie aan te gaan met Louisa Cormier. Aiden wist niet of de vrouw nu sluw en manipulatief was, of dat ze eenvoudig verstrikt was geraakt in een nachtmerrie. Aiden Burn zou op geen van beide mogelijkheden willen wedden.

16

Er hing een wit strand met zand en kiezelstenen boven Stella toen ze haar ogen opendeed. Ze hoorde zelfs het ritmische geluid van iets dat de zee zou kunnen zijn.

Stella had in geen, wat was het, drie jaar vakantie gehad. Ze had er nooit behoefte aan gehad, had nooit weggewild. Er was altijd wel een nieuwe of een half afgewerkte zaak.

Het spinrag van het wakker worden was in een seconde of twee weg en ze besefte dat het strand het plafond was en het geluid van de golven een monitor met tentakels die vastzaten aan haar lichaam. Stella had een droge mond.

Ze draaide haar hoofd en zag Mac aan haar linkerkant staan.

'Hoe…' begon ze, maar het kwam eruit als een pijnlijk, onsamenhangend gekwaak.

Ze hoestte moeizaam en wees naar een witte plastic kan en een glas op het tafeltje naast het bed. Mac knikte, schonk water in, haalde de verpakking van een rietje en stak het in het glas.

'Rustig aan,' zei Mac, die het glas voor haar vasthield, zodat ze kon drinken.

De eerste slok brandde. Ze had even het gevoel dat ze moest overgeven, maar het ging voorbij en ze dronk nog wat.

'Hoe erg is het?' vroeg ze.

'Het komt wel goed,' zei Mac. 'Je bent flauwgevallen. Danny en Hawkes hebben je hierheen gebracht. Een vriend van Hawkes heeft je meteen aangesloten op glucose en antibiotica. Hij vond een deskundige op het gebied van leptospirose in Honolulu, belde hem op en hier lig je nou.'

'Hoe lang moet ik nog blijven?'

'Een paar dagen. Dan nog een paar dagen thuis,' zei Mac. 'Als je een kweekje had laten maken toen je ziek werd, had je hier niet hoeven liggen.'

'Ik ben een workaholic,' zei ze met wat ze hoopte dat voor een glimlach kon doorgaan.

Mac glimlachte terug. Stella keek de ziekenhuiskamer rond. Er was niet veel te zien. Een raam aan de linkerkant en een in een hoek keken uit op een rood gebouw aan de overkant. Aan de muur hing een reproductie van een schilderij dat ze dacht te herkennen. Drie vrouwen in boerenjurken in een veld met stapels hooi erachter. De vrouwen bukten om iets op te rapen, bonen of rijst, en in manden op de grond te gooien.

Mac volgde haar blik.

'Die vrouw aan de rechterkant heeft pijn,' zei Stella. 'Kijk die kromme, C-vormige bocht van haar rug van jaren bukken maar eens. Als ze rechtop ging staan, liep ze krom en had ze pijn. Ze is er niet ver vanaf om niet meer zo te kunnen bukken.'

'Wou je haar soms onderzoeken?' vroeg Mac.

'Alleen als iemand haar vermoordt of zij iemand anders vermoordt,' zei Stella, die nog steeds naar het schilderij keek. 'Hoe oud denk je dat het originele werk is?'

'Jean François Millet,' zei Mac. 'Het schilderij is uit 1857 en heet *Les glaneuses.*'

Stella keek hem zonder iets te zeggen aan.

'Mijn vrouw had wat reproducties van zijn werk,' zei Mac. 'Een van de hoogtepunten van ons reisje naar Europa was een bezoek aan Millets *Angelius* in het Musée d'Orsay.'

Stella knikte. Hij had nog nooit zoveel informatie gegeven over zijn overleden vrouw.

Macs glimlach was breder geworden.

'Ze zag schoonheid in dat schilderij,' zei hij. 'Jij ziet een vrouw met medische problemen.'

'Neem me niet kwalijk,' zei Stella.

'Nee,' zei Mac. 'Jullie hebben allebei gelijk.'

'Mac,' zei ze. 'Ik weet wie Alberta Spanio heeft vermoord, en het was niet de jockey.'

Toen Don Flack zijn mobiele telefoon had opgenomen, vertelde Mac hem wat Stella had gezegd.

'Ik ga er meteen naartoe,' zei Flack.

'Wil je iemand mee hebben?' vroeg Mac.

'Niet nodig.'

'Nog nieuws over Guista?'

'Die vind ik wel,' zei Flack, die zijn pijnlijke ribbenkast betastte.

Flack deed zijn mobieltje dicht en reed verder, maar in plaats van naar Marco's Bakery ging hij nu op weg naar Flushing in Queens. De temperatuur was gestegen tot −9 °C en het sneeuwde niet meer. Het verkeer bewoog langzaam vooruit en na een ijskoude sneeuwstorm van bijna vier dagen waren de lontjes kort. In de file ontstond snel agressief rijgedrag.

Don keek op zijn horloge. De telefoon ging. Het was Mac weer.

'Waar zit je?' vroeg Mac.

Don vertelde het hem.

'Haal Danny op bij het lab. Hij heeft de foto's van de plaats delict en Stella heeft hem net op de hoogte gesteld,' zei Mac.

'Goed,' zei Flack. 'Hoe is het met haar?'

'Prima. De dokters zeggen dat ze over een paar dagen weer aan het werk kan.'

'Zeg maar dat ik naar haar gevraagd heb,' zei Don en hij hing weer op.

Danny stond in een dikke, donzen jas tot aan zijn knieën, handschoenen aan en een pet met oorkleppen op achter de glazen deuren op hem te wachten. Hij had een koffertje in een hand en wuifde met de andere naar Don om te laten weten dat hij naar buiten kwam.

Zodra hij de deur opendeed, besloeg zijn bril en hij moest blijven staan om hem met zijn sjaal schoon te vegen.

'Koud,' zei hij toen hij in de verwarmde auto stapte.

'Koud,' beaamde Flack.

Terwijl ze naar Flushing reden, vertelde Danny Messer Flack alles wat Stella hem via de telefoon had verteld. Flack zocht naar hiaten, alternatieven voor Stella's conclusies, maar hij kon niets bedenken. Hij zette de radio aan en luisterde naar het nieuws tot ze stopten voor het huis van Ed Taxx.

Taxx deed de deur open. Hij droeg een spijkerbroek, een wit overhemd met open kraag en een bruine wollen trui. Hij had een kop koffie in zijn hand. Er stond PAPA op in felrode letters met een blauwe rand.

'Is er nog iemand anders thuis?' vroeg Don.

Ergens in het huis stond een televisie aan en een vrouw in een of andere show lachte. Het lachen klonk Don onoprecht in de oren.

'Ik ben helemaal alleen en begon me te vervelen,' zei Taxx, die achteruit ging om de twee mannen binnen te laten en de deur achter hen dichtdeed. 'Ik heb nog steeds verlof tot dit onderzoek is afgerond.'

Taxx ging hen voor naar de woonkamer en vroeg over zijn schouder of ze koffie of een cola light wilden. Beide mannen bedankten.

Taxx ging in een stoel zitten en Don en Danny op de bank.

'Wat brengt jullie hier?' vroeg Taxx toen hij een slokje koffie had genomen.

'Een paar vragen,' zei Flack.

'Kom maar op.'

'Toen jullie de deur van Alberta Spanio's slaapkamer hadden ingetrapt, ben jij meteen naar het bed gelopen?'

'Ja,' zei Taxx.

'En je hebt Collier naar de badkamer gestuurd?' ging Flack door.

'Ik zou niet zeggen dat ik hem gestuurd heb. We deden gewoon wat er gedaan moest worden. Wat…'

'Collier heeft gezegd dat jij hem opdracht hebt gegeven om in de badkamer te kijken,' zei Flack.

'Dat kan best zijn,' beaamde Taxx.

'Ben jij nog naar de badkamer gegaan nadat hij eruit was gekomen?'

Taxx dacht even na en zei toen: 'Nee. We zijn naar de woonkamer gegaan en hebben de moord gemeld. Geen van ons is die kamer nog in gegaan. Het was een plaats delict.'

'Collier heeft gezegd dat hij in het bad is gaan staan en door het open raam naar buiten heeft gekeken,' zei Flack.

'Ik was er niet bij,' zei Taxx met een verwarde blik.

'Danny, laat hem de foto's zien,' zei Flack.

Danny deed het koffertje open en haalde er de stapel foto's uit die hij en Stella op de plaats delict hadden gemaakt. Hij koos er vier uit en overhandigde die aan Taxx. Het waren alle vier foto's van het bad en het open raam. Taxx keek naar de foto's en gaf ze toen weer aan Danny.

'Wat moet ik aan die foto's zien?' vroeg Taxx en hij zette zijn koffiebeker neer.

'Er ligt geen sneeuw en er is zelfs geen spoor van sneeuw of ijs in het bad,' zei Flack. 'Het was te koud in die kamer om de sneeuw te laten smelten.'

'En?' vroeg Taxx.

'Als er iemand door dat raam was gekomen om Alberta Spanio te vermoorden, had hij de sneeuw die tegen het raam lag naar binnen hebben moeten duwen.'

Taxx knikte.

'Misschien heeft hij de sneeuw met zijn arm of been weggeveegd in plaats van het naar binnen te duwen,' zei Taxx.

'Waarom?' vroeg Danny. 'Waarom zou hij een hand loslaten of een voet uitsteken om de sneeuw naar de buitenkant weg te vegen? Niet om de moord te verhullen. Het raam stond open. Het is volkomen onlogisch om iets anders te doen dan door het raam naar binnen zwaaien en daarbij de sneeuw naar binnen te duwen of te schoppen, door het raam te klimmen en uit het bad te stappen, Spanio te vermoorden en te vertrekken zoals hij was binnengekomen.'

'Iemand in de badkamer heeft de sneeuw naar buiten geschoven,' zei Flack.

'Waarom? En wie dan? Collier? Alberta?' vroeg Taxx.

'Alberta Spanio was bewusteloos door een overdosis slaappillen,' zei Danny. 'En zelfs al was dat niet zo geweest, waarom zou ze een raam openzetten om de kou en de sneeuw binnen te laten?'

'Collier?' vroeg Taxx.

'We denken dat degene die Alberta Spanio heeft vermoord de sneeuw naar buiten heeft geduwd omdat hij wilde dat we dachten dat er iemand door het raam naar binnen was gekomen,' zei Flack. 'Want als de moord niet is gepleegd door iemand die door het raam is gekomen, zijn er nog maar twee mogelijke verdachten over.'

Taxx zei niets. Zijn tong drukte tegen de binnenkant van zijn rechterwang.

'Collier?' herhaalde hij.

'Wanneer en hoe?' vroeg Danny. 'De deur van de slaapkamer zat de hele nacht op slot.'

'En het badkamerraam was dicht,' merkte Taxx op. 'Dat hebben zowel Collier als ik gecontroleerd. We zijn samen de slaapkamer uit gegaan.'

Maar de volgende morgen trapten jullie de deur open en ging een van jullie naar het bed van Spanio terwijl de ander naar de badkamer ging,' zei Danny. 'Dat was het enige moment waarop Spanio kan zijn vermoord. Jij was degene die naar het bed ging, het mes uit je zak haalde en de bewusteloze Spanio in haar nek stak. Je had er maar vijf seconden voor nodig. Dat is geverifieerd door een technisch rechercheur.'

'Die vrouw,' zei Taxx, die door het raam naar buiten keek.

'Stella heeft het uitgedokterd,' bevestigde Don.

'Dario Marco gaf Guista en Jake Laudano opdracht die kamer te nemen in het Brevard Hotel,' zei Flack. 'Het was de bedoeling dat ze werden opgemerkt, een grote, sterke man en een klein ventje. We moesten denken dat zij Spanio hadden vermoord, zodat de echte moordenaar, jij dus, niet verdacht zou worden.'

'Guista moest het raam naar de badkamer opentrekken door een ketting te laten vieren en die aan het oog te haken dat jij in het badkamerraam had geschroefd.'

'Vergezocht,' zei Taxx.

'Dat kan zijn,' beaamde Flack, 'maar we arresteren Jake Laudano en als we zowel hem als Guista hebben, gooit de openbare aanklager het met hen op een akkoordje en beginnen ze te praten.'

'Sta ik onder arrest?' vroeg Taxx zachtjes.

'Straks wel,' zei Flack.

'Ik geloof dat ik maar eens een advocaat moet bellen,' zei Taxx.

'Dat lijkt me verstandig,' zei Flack.

De rechercheur stond op en voelde een scherpe pijnscheut in zijn borstkas. Hij nam vier stappen naar Taxx en deed de man de handboeien aan.

Danny duwde zijn bril omhoog en stopte de foto's weg terwijl Flack Taxx op zijn rechten wees. Don herhaalde de woorden langzaam en om de een of andere reden klonken ze als een goed van buiten geleerd gebed.

Aiden bekeek de draadschaar en het kapotte slot. Ze had close-up-opnamen van zowel de randen van de draadschaar als de randen van het doorgeknipte slot vergroot.

Nu zat ze die twee in het lab te vergelijken.

De kerfjes van het blad waren met het blote oog bijna onzichtbaar, maar van dichtbij waren ze net zo goed als vingerafdrukken. Ze twijfelde totaal niet meer. Er kon geen twijfel bestaan bij de jury-leden. Het slot dat Aiden op de schietbaan had gevonden, was doorgeknipt met de draadschaar die Mac in de kelder van Louisa Cormiers flatgebouw had aangetroffen.

Ze pakte de telefoon, belde Mac en vertelde hem wat ze had ontdekt.

'Het is genoeg,' zei Mac.

'Genoeg voor…' zei ze zonder de vraag af te maken.

'Voor een arrestatie,' zei Mac. 'Ik zie je bij Louisa Cormier met iemand van Moordzaken.'

Aiden hing op. Alle bewijzen tegen Louisa Cormier waren indirect. Er waren geen ooggetuigen en ze hadden het pistool niet gevonden. Maar de meeste zaken werden in de rechtbank gewonnen met een overdaad aan overtuigend indirect bewijs. Slimme advocaten konden die bewijsvoering aanvallen, alternatieve scenario's bedenken, vergissingen verklaren en alles ingewikkelder maken, maar Aiden, die inmiddels op weg was naar haar jas, geloofde niet dat zulke rookgordijnen het bewijs aan het oog konden onttrekken.

De draadschaar waarmee het slot was opengeknipt van een doos waarin een .22 kaliber handwapen werd bewaard, een handwapen dat Louisa Cormier gebruikte om mee te oefenen; het manuscript met de twee kogelgaten dat Louisa uit de dode handen van Charles Lutnikov had gepakt en dat ze in alle haast had zitten kopiëren; het bewijs dat Lutnikov de boeken van Louisa Cormier schreef.

Aiden trok haar jas aan en liep naar de lift en ze dacht: we hebben nog steeds het moordwapen niet en we hebben nog steeds geen motief en Louisa Cormier heeft Noah Pease.

Misschien moesten ze wachten, meer bewijs verzamelen, het pistool en het motief zoeken. Maar Mac had gezegd dat ze genoeg hadden en Aiden vertrouwde op zijn oordeel.

'Dit is pure pesterij,' zei Louisa Cormier toen ze de deur opendeed. Aiden zag dat Louisa haar handen tegen elkaar hield in een poging het trillen tegen te gaan. Louisa's ogen gingen naar de man in het blauwe pak die bij de twee CSI'ers stond.

'Ik laat u niet binnen,' zei ze. 'En ik bel mijn advocaat. Ik laat een gerechtelijk bevel tegen u en het hele...'

'We willen helemaal niet binnen komen,' zei Mac.

Louisa Cormier keek verbaasd.

'O, nee? Nou, ik heb van mijn advocaat het advies gekregen geen vragen meer te beantwoorden.'

'Dat hoeft ook niet,' zei Mac. 'Maar u moet wel met ons mee. U staat onder arrest.'

'Ik...' begon Louisa.

'En als u wilt, hadden we graag dat u uw Walther meeneemt. Deze rechercheur zal met u meegaan om hem te pakken. Daar hebben we een bevel voor.'

Mac haalde een in drieën gevouwen vel papier uit zijn jaszak.

'Dat kunt u niet doen,' zei Louisa Cormier. 'Ik heb u dat pistool al laten zien. U weet dat er niet mee geschoten is.'

'Wij denken van wel,' zei Aiden.

Louisa Cormier begon in elkaar te zakken. Aiden deed een stap naar voren om haar op te vangen en ving een vleugje op van het parfum dat de schrijfster gebruikte, een gardeniageur die precies leek op het geurtje dat Aidens moeder altijd opdeed.

Stevie sloop langzaam naar het donkere trapgat en sleepte zijn weigerachtige been achter zich aan. Toen hij op de overloop van de begane grondverdieping stond, kwamen de geuren van de bakkerij door de deuren aan zijn linkerkant.

Stevie hield van de bakkerij, van de geur van vers brood, van het rijden in zijn bestelwagen en het praatje met de klanten op zijn route. Hij wist dat dat over een paar minuten allemaal weg zou zijn, dat hij op de een of andere manier weg zou zijn. Het was oneerlijk, maar het was zijn eigen schuld dat hij was vergeten dat het leven niet eerlijk was en dat hij zijn vertrouwen en loyaliteit bij Dario Marco had gelegd.

Voordat hij bij de laatste twee treden kwam en de gang in stapte, bleef hij even in de schaduw staan en keek beide kanten uit. Er was niemand te zien.

Het kantoor van Dario Marco was maar drie deuren verderop, aan de rechterkant. Stevie deed zijn best zich te haasten en stil te zijn. Hij moest het doen met de stilte.

Als Helen Grandfield er was als hij de deur opendeed, zou hij haar waarschijnlijk vermoorden. Hij kon het snel, zonder haar tijd te geven voor een reactie. Zij had meegedaan aan het verraad. Ze was de dochter van Dario Marco en de nicht van Anthony Marco, en zoals hij nu wist, had ze meegewerkt aan het plan om Stevie, die domme Stevie, die trouwe Stevie, tot zondebok te maken.

Hij bleef even bij de deur naar het kantoor staan luisteren. Hij hoorde niets. Toen deed hij de deur open, klaar om een verraste of geschrokken Helen Grandfield te overmeesteren. Maar er was niemand in het voorste kantoor.

Stevie vroeg zich af of Dario weg was, misschien wel de hele dag. Het was niets voor hem om een dag te missen, maar de laatste paar dagen waren anders geweest dan alle andere.

Stevie liep naar de deur van het tweede kantoor, bleef nog even luisteren, hoorde niets en deed de deur langzaam open. Er brandde slechts een zwak licht en de luxaflex waren dicht, maar Stevie kon Dario Marco achter zijn bureau zien zitten.

Dario keek op. Stevie was niet voorbereid op wat hij zag, een rustige Dario Marco die zei: 'Stevie, we verwachtten je al.'

Uit de hoek kwamen Jacob de jockey en Helen Grandfield tevoorschijn. De jockey had een pistool in zijn hand en het was gericht op Stevie.

Het was druk om de tafel voor Joelle Finebergs bureau. Ze was de laagste in rang, dus had Joelle het kleinste kantoor.

Ze had gekozen voor een heel klein bureau en een kleine boekenkast, zodat er ruimte genoeg was voor de tafel, waaraan met redelijk gemak zes mensen konden zitten. Ze gebruikte die tafel als werkruimte en maakte hem vrij voor vergaderingen als deze door eenvoudig alle papieren en boeken bij elkaar te pakken, ze in een zware, plastic bak te doen en die bak achter haar bureau uit het zicht te zetten.

'Jullie hebben niet genoeg voor een jury,' zei Noah Pease met zijn hand op de schouder van Louisa Cormier, die naast hem zat en recht voor zich uitkeek.

'Ik denk van wel,' zei Fineberg, die tegenover hen zat, met Mac aan haar ene kant en Aiden aan de andere.

Op de tafel lag een nette stapel papieren en foto's als een spel buitenmaatse kaarten die wachtten tot ze geschud zouden worden voor een hard spelletje poker, en dat leek wel op het spel dat zij speelden. Fineberg keek naar Mac en zei: 'Rechercheur, wilt u de bewijsstukken nog eens doornemen?'

Mac keek op het schrijfblok voor hem en nam stap voor stap het bewijsmateriaal door. Toen keek zij op naar Aiden, die instemmend knikte.

Het gezicht van Pease verraadde niets, net als dat van Louisa Cormier.

'Zou het u verbazen om te horen dat de rechercheurs Taylor en Burn op zeven verschillende voorwerpen in het appartement van Charles Lutnikov vingerafdrukken van uw cliënt hebben aangetroffen?' zei Fineberg.

'Ja,' zei Pease. 'Dat zou het inderdaad.'

Fineberg bladerde door de stapel papieren en haalde er zeven foto's uit. Ze stak ze Pease toe.

'Een volmaakte overeenkomst,' zei de assistent-openbaar aanklager. 'Een kopje, het aanrecht, het bureau en vier op de boekenplanken.' De vingerafdrukken kwamen precies overeen met die van Louisa Cormier.

Louisa Cormier pakte de foto's.

'Indirect bewijs,' zei Pease met een zucht.

'Uw cliënt heeft ons voorgelogen dat ze nooit in de flat van Lutnikov was geweest,' zei Fineberg.

'Ik ben er één keer geweest,' zei Louisa. 'Nu weet ik het weer. Hij had me gevraagd… iets op te halen.'

'Is er een reden waarom we hier zitten?' vroeg Pease.

'Om te onderhandelen,' zei Fineberg.

'Nee,' zei Pease hoofdschuddend.

'Dan leggen we de zaak voor aan de jury en eisen we doodslag,' zei Fineberg.

Ze wendde zich tot Mac en zei: 'De rechercheurs Taylor en Burn zullen getuigen. Zij zijn overtuigd door het bewijsmateriaal dat de technische recherche heeft verzameld en ik ook. Een jury zal ook overtuigd zijn.'

'Juffrouw Cormier is een zeer gerespecteerde literaire figuur zonder enig motief,' zei Pease. 'Uw zaak staat of valt met het argument dat ze niet haar eigen boeken schreef. Dat deed ze wel.'

'Rechercheur Taylor?' zei Fineberg.

'Overtuig me maar. Overtuig mijn deskundige,' zei Mac.

'Hoe?' vroeg Pease.

'Laat haar iets schrijven,' zei Fineberg.

'Belachelijk,' zei Pease.

'Ze heeft vier dagen voordat we de zaak laten voorkomen,' zei Fineberg. 'Vijf bladzijden. Dat zou niet onmogelijk moeten zijn, vooral niet als het om een aanklacht wegens moord gaat.'

'Ik kan niet schrijven onder die druk,' zei Louisa Cormier, die de foto's van haar vingerafdrukken weer aan haar advocaat gaf. Hij legde ze netjes op de tafel en schoof ze naar Fineberg.

'U rekent erop dat de jury mee zal voelen met een beroemde en geliefde bekendheid,' zei Fineberg. 'Hoe snel zijn we Martha Stewart vergeten. U kunt daar natuurlijk O.J. Simpson tegen inbrengen, maar…'

Pease keek inmiddels naar Fineberg met een irritatie die in een minder ervaren advocaat waarschijnlijk al was overgegaan in openlijke vijandigheid.

'Als de zaak aan een jury wordt voorgelegd,' zei Fineberg, 'komt alles naar buiten, in ieder geval genoeg om de jury een schriftelijke beslissing te laten nemen, ondertekend door de voorzitter, dat ze voldoende bewijs heeft gehoord van het openbaar ministerie om ervan overtuigd te zijn dat de beklaagde de misdaad waarschijnlijk heeft gepleegd en dat die haar ten laste moet worden gelegd.'

'Dat zou zeer schadelijk zijn voor de reputatie van mijn cliënt,' zei Pease. 'Net als elke schuldbekentenis.'

'We hebben het pistool,' zei Fineberg met een blik op Mac.

'We zijn het pistool in juffrouw Cormiers la aan het testen,' zei hij.

'U had al vastgesteld dat het niet...' begon Pease.

'De kogel die we onder in de liftschacht hebben gevonden, is uit dat pistool afkomstig,' zei Mac. 'Juffrouw Cormier heeft Charles Lutnikov neergeschoten, haar jas aangetrokken, haar pistool en de draadschaar, die waarschijnlijk uit haar trofeeënkast afkomstig is, in haar tas gedaan, de lift op haar verdieping vastgezet en is de trap afgehold voor haar gebruikelijke ochtendwandeling. Het was acht uur en er woedde een sneeuwstorm. Het zou waarschijnlijk nog uren duren eer iemand in haar deel van het gebouw op zou zijn en de lift zou willen gebruiken. Ze was trouwens niet van plan langer dan een halfuurtje weg te blijven.'

'En waar zou mijn cliënt volgens dit verzonnen verhaaltje naartoe zijn gegaan?' vroeg Pease.

'Naar Drietchs schietbaan, vier straten verderop,' zei Mac. 'Zelfs met die sneeuw en het ijs kon ze daar binnen een kwartier zijn. Ik heb het gered door gewoon snel te lopen. Ze wist dat de schietbaan op zaterdag pas drie uur later openging. Ze maakte de buitendeur open met een creditcard. In drie van haar boeken heeft haar detective hetzelfde gedaan. Juffrouw Cormier heeft waarschijnlijk uitgeprobeerd of het mogelijk was.'

'Voorbedachte rade,' zei Joelle Fineberg.

'Uw cliënt is naar de kamer gegaan waar de wapens worden opgeslagen,' ging Mac verder. 'Ze knipte het slot door van de doos waarin het pistool zat dat ze op de schietbaan had gebruikt, haalde het eruit, liet het in haar tas vallen en verving het door het moordwapen. Toen gooide ze het doorgeknipte slot op de schietbaan. Ze wist dat iemand het uiteindelijk zou opmerken nadat ze de pistolen nogmaals had verwisseld, ze wist dat de Walther van de schietbaan gevonden zou worden en dat elke vakbekwame rechercheur zou zien dat er niet onlangs mee geschoten was. Ze wist ook dat een onderzoek van het pistool en de kogel zou aantonen dat ze niet bij elkaar hoorden, maar ze dacht niet dat het zover zou komen. Als Drietch of iemand anders de doos controleerde voordat ze de pistolen weer verwisseld had, zouden ze denken dat ze het pistool zagen dat er normaal in bewaard werd. Juffrouw Cormier was er redelijk zeker van dat ze het niet zouden controleren, maar eigenlijk maakte het niet uit.'

'Hoe vergezocht kan...' zei Pease.

'Ik stel voor dat u een van de eerste drie boeken van uw cliënt leest als u wilt weten hoe vergezocht de dingen kunnen zijn die zij verzint.'

Pease schudde vermoeid zijn hoofd, alsof het aanhoren van Mac een onverdiende straf was die hij zou moeten ondergaan.

Mac negeerde de advocaat en ging door.

'Juffrouw Cormier ging snel naar huis, hing de draadschaar in de kelder, ging de trap op, liet de lift gaan, zodat die naar de hal zou afdalen, en legde het pistool dat ze bij de schietbaan had weggenomen in haar la.'

'En toen?' vroeg Pease en hij schudde zijn hoofd alsof hij werd gedwongen naar een sprookje te luisteren.

'Ze wachtte tot wij kwamen en liet ons heel bereidwillig het pistool zien. Ze stond er bijna op. Het was het pistool dat ze van de schietbaan had meegenomen, niet het exemplaar dat ze altijd in haar la bewaarde. Toen we weg waren, ging ze terug naar de schietbaan, zei dat ze wilde oefenen en wisselde de pistolen nogmaals om, zodat het wapen dat in de doos hoorde er weer in kwam te liggen. Rechercheur Burn ging naar de schietbaan, onderzocht het pistool en kwam tot de conclusie dat het niet het moordwapen was.'

'Uw cliënt verborg het moordwapen in het volle zicht,' zei Fineberg. 'In de la van haar bureau. Ze dacht dat de technische recherche het niet nog eens zou bekijken nadat was vastgesteld dat er niet mee geschoten was.'

'De kogel zal uit uw pistool afkomstig blijken te zijn,' zei Mac tegen Louisa Cormier. 'U hebt het allemaal te ingewikkeld gemaakt.'

'Het was bijna gelukt,' fluisterde Louisa Cormier.

'Louisa,' waarschuwde Pease, en hij boog zich naar zijn cliënt toe

om haar iets toe te fluisteren, waarna hij weer rechtop ging zitten.
'Zelfverdediging,' zei hij. 'Charles Lutnikov kwam naar het appartement van mijn cliënt nadat hij haar door de telefoon had bedreigd. Ze had het pistool gepakt om zichzelf te beschermen. Hij probeerde het haar af te pakken en het ging af. Ze raakte in paniek.'
'En toen bedacht ze ter plekke deze uitvoerige afleidingsmanoeuvre,' zei Fineberg.
'Ja,' zei Pease. 'Ze is schrijfster en heeft een heel actieve fantasie.'
'Een schrijfster die niet haar eigen boeken schreef,' zei Mac.
'We zullen zien hoe de jury daarover denkt,' zei Pease.
'Waarom zou Lutnikov juffrouw Cormier bedreigen?'
Advocaat noch cliënt zei iets.
'Onopzettelijke doodslag,' zei Pease. 'Voorwaardelijke straf.'
'Nee,' zei Fineberg. 'De bewijzen die deze rechercheurs hebben verzameld, wijzen op voorbedachte rade en een uitvoerige poging haar sporen uit te wissen.'
Pease fluisterde iets in het oor van Louisa Cormier. Er verscheen een trek van ontzetting op haar gezicht.
'Doodslag,' zei Pease. 'Er wordt niets openbaar gemaakt. U kiest een rechter die de documenten zal laten verzegelen. Zeg wat u wilt tegen de media.'
Fineberg keek naar Mac en schudde toen haar hoofd tegen Pease.
'Vertrouwelijk?' zei Pease en hij legde even zijn hand op die van zijn cliënt.
'Vertrouwelijk,' zei Fineberg.
'Louisa?' zei Pease en zijn hand op haar arm was klaar om haar met lichte druk tot spreken aan te zetten.
'Ik kan het niet,' zei Louisa Cormier met een blik op Pease.
Pease hield zijn hoofd schuin en zei: 'Ze kunnen het niet gebruiken, tenzij wij het toestaan.'
Louisa Cormier zuchtte.
'Ik heb Charles Lutnikov doodgeschoten. Hij chanteerde me,' zei ze en ze keek naar de tafel, naar de witte knokkels van haar gevouwen handen.
'U had hem betaald voor het schrijven van uw boeken,' zei Fineberg.

'Het ging niet om geld,' zei Louisa. 'Hij wilde vermeld worden. In al mijn toekomstige boeken moesten allebei onze namen als schrijver vermeld staan. Ik bood hem meer geld. Hij had geen belangstelling.'

'Dus schoot u hem dood?' vroeg Fineberg.

'Hij zei dat hij het manuscript van het nieuwe boek boven zou brengen en dat hij het me alleen zou geven als ik een door een notaris opgestelde akte had waarin stond dat het boek allebei onze namen zou dragen. Dat kon niet. Mijn publiek, de uitgever en de recensenten zouden gaan nadenken over de eerdere boeken en ik kon er niet op rekenen dat Charles zijn mond hield over zijn eerdere hulp.'

'En...' vroeg Fineberg na een lange stilte van Louisa Cormier.

'Toen hij naar boven kwam, liet ik de lift stilstaan. Hij had het manuscript in zijn handen, tegen zijn borst gedrukt alsof het een baby was. Hij wilde dat het onze baby zou zijn. Ik probeerde met hem te praten en zei dat ik hem zou helpen zijn eigen boeken gepubliceerd te krijgen als we op de oude voet verdergingen. Hij had geen belangstelling. Hij stak zijn hand uit naar de liftknoppen en drukte erop toen het gebeurde.'

'U schoot hem dood,' zei Fineberg.

'Het was niet de bedoeling,' zei ze. 'Ik wilde hem alleen maar bedreigen, waarschuwen, bang maken, zodat hij me het manuscript zou geven. De liftdeur ging dicht met mijn hand ertussen. Hij greep naar het pistool. Hij was woedend. Het pistool ging af. De deur ging weer open. Ik zag dat hij dood was. Ik drukte op de knop om de lift stil te zetten en pakte hem het manuscript af.'

'Noodlottig ongeluk. Nee. Zelfverdediging,' zei Pease met een brede glimlach.

'Maar waarom verborg u dan het pistool?' zei Fineberg. 'Waarom verzon u dat allemaal?'

'Mijn carrière, mijn... Ik was bang,' zei Louisa Cormier.

'U was niet van plan hem dood te schieten, maar toch bedacht u onmiddellijk een plan, een heel gecompliceerd plan, zodra u dat gedaan had. U was binnen een paar minuten nadat u Charles Lutnikov had doodgeschoten, een paar seconden zelfs, met het pistool

en een draadschaar op weg naar de schietbaan,' zei Fineberg scep-
tisch.

'Doe maar een aanbod, juffrouw Fineberg,' zei Pease. 'Een goed
aanbod.'

17

'Het spijt me, Stevie,' zei Dario Marco, die achter zijn bureau zat. 'Je bent een goede medewerker, een trouwe werknemer, een goede vent.'

Stevie stond op een been dat het dreigde te begeven en keek suf en met open mond naar de man achter het bureau die zijn baas en beschermer was geweest.

'Zie je,' zei Marco, die achterover leunde en langs zijn jasje streek om de rimpels eruit te krijgen, 'het probleem is dat we de politie iemand moeten geven. Ze hebben overal rondgeneusd. Ze hebben bewijzen tegen jou met betrekking tot de moord op Spanio en je hebt een politieman vermoord en een andere flink toegetakeld. Het grote probleem is dat je die agent net buiten de deur waar je net door binnen bent gekomen hebt vermoord. Dus wat kan ik doen, vraag ik je?'

Stevie zei niets.

Marco haalde zijn schouders op om nogmaals te laten zien dat hij geen keus had. 'Bovendien ben je echt een domme sukkel en je wordt nog oud ook.'

Stevie keek naar Jake, die hem had verraden, en toen naar Helen Grandfield, maar van haar gezicht was helemaal niets af te lezen.

'Pa,' zei Helen. 'Laten we het nou maar gewoon doen.'

'Ik ben Stevie een verklaring verschuldigd,' zei Dario geduldig.

'Hij is hierheen gekomen om je te vermoorden,' zei ze.

'Dat is zo,' beaamde Dario Marco. 'En hij heeft ingebroken en het is maar gelukkig dat wij een wapen hadden.'

'De jockey heeft geen wapenvergunning,' zei Stevie, die probeerde na te denken.

'Dat klopt,' zei Marco. 'Hij is al eens veroordeeld. Je bent stom, maar niet zo stom. Dat pistool is van mij. Ik heb een vergunning. Ik had het net schoongemaakt en Jacob pakte het van het bureau toen jij...'

'Waarom?' vroeg Stevie. 'Je hebt me er ingeluisd, meteen vanaf het begin. Je wilde dat ik de politie achter me aan kreeg. Waarom?'

'Voor de veiligheid,' zei Dario. 'Geloof me, ik wilde dat je zou ontsnappen. Waarom zou ik nu liegen? Maar in zaken zorg je voor rugdekking. Je wordt oud, Stevie. Je zult trager worden. Verdomme, je wordt al trager. Moet je jezelf nu eens zien. Nu heb je ingebroken in mijn kantoor en heb je gezegd dat je me gaat vermoorden. In het bijzijn van drie getuigen.'

Dario Marco knikte naar Jacob, die naar Stevie keek en aarzelde.

'Hij heeft jou er ook ingeluisd, Jake,' zei Stevie.

'Schiet die ouwe lul dood,' zei Marco.

De sprong van Stevie over het bureau was een verrassing voor iedereen in de kamer, waarschijnlijk zelfs voor Stevie. Toen zijn buik de tafel raakte, verloor hij elk gevoel in zijn gewonde been. Hij stak zijn handen uit naar Dario's nek en vond hem. Nu deed hij waar hij goed in was, stom of niet stom.

'Schiet dan,' schreeuwde Helen.

Jake schoot en miste. Zijn handen trilden, maar die van Stevie niet. Hij lag op zijn buik op het bureau, tilde Dario uit de stoel en brak zijn nek.

Helen lag nu op zijn rug en klauwde grommend en gillend naar zijn gezicht. Jake zocht naar een mogelijkheid om nog eens te schieten. Het lijk van Dario Marco gleed naar beneden. Zijn ogen stonden verbaasd wijdopen en zijn kin bleef rusten op de rand van het bureau. Stevie gooide Helen Grandfield van zich af. Ze deed een paar wankele stappen achteruit en viel over een stoel.

Stevie probeerde te gaan staan. Hij keek om naar de jockey, die trillend achteruit was gedeinsd, met beide handen aan het pistool. Stevie zou nooit bij hem kunnen komen voordat hij werd neergeschoten. Hij stak zijn hand in zijn zak en pakte het hondje vast dat Lilly hem had gegeven.

'Staan blijven,' zei een stem.

Ze keken allemaal naar de geüniformeerde agent die Stevie op weg naar binnen had ontweken, Jake over zijn pistool, Helen over de omgevallen stoel waarachter ze terecht was gekomen, Stevie over zijn schouder. De agent had het schot gehoord.

De agent, die Rodney Landry heette, was een bodybuilder en zat al vier jaar bij de politie. Hij wist wat hij moest doen: zijn pistool richten op het kleine mannetje naast het bureau. Door de beschrijving die hij had gekregen, wist Landry dat de man met het bloed aan zijn been, die om onverklaarbare reden op het bureau lag, degene was naar wie hij had moeten uitkijken.

Vanaf de plek waar Landry met het pistool in de hand stond, kon hij Dario Marco niet zien.

'Leg dat wapen heel langzaam op de vloer,' commandeerde Landry. Jake wilde het zo snel mogelijk doen, maar dwong zichzelf langzaam te bukken en het wapen op de grond te leggen. Stevie slaagde erin zich om te draaien en op een elleboog te steunen.

'Hij heeft hier ingebroken,' gilde Helen Grandfield, wijzend op Stevie. 'Hij heeft mijn vader vermoord.'

Nu kon Landry het zien. Het was net een grap, een macabere grap. Het hoofd van de dode man leek op zijn kin op het bureau te rusten. Zijn ogen stonden wijdopen en hij keek verbaasd, heel verbaasd.

Stevie, die helemaal geen gevoel meer in zijn been had, stak zijn hand in zijn zak, klemde het beschilderde hondje vast en glimlachte.

Ed Taxx sloot een deal. Hij werd kroongetuige tegen Dario Marco en zijn dochter in ruil voor minimaal doodslag. Hij sprak het door en schreef het uit. Hij kende de routine en volgde die. Bovendien had hij genoeg geld weggestopt om voor zijn gezin te zorgen en hij wilde niet dat de politie zijn leven of zijn bankrekeningen al te nauwkeurig bekeek.

'Ik geef jullie Dario Marco en Helen Grandfield en jullie stoppen elk verder onderzoek naar mij of mijn bezittingen,' zei Taxx.

'En alles wat je weet over Anthony Marco,' zei Ward.

'Daar weet ik niet veel van,' zei Taxx.

'We doen het met wat je ons kunt geven,' zei Ward.

Taxx zat tegenover assistent-openbaar aanklager Ward en technisch rechercheur Danny Messer aan tafel, klaar om zijn verhaal te vertellen.

'Wat zit er voor mij in?' vroeg Taxx.

'Dat hangt af van je verhaal,' zei Ward.

'Het is een goed verhaal,' zei Taxx.

Hij was benaderd door Helen Grandfield, die hem niet vertelde hoe ze wist dat hij bij de groep was geplaatst die Alberta Spanio moest bewaken en ook niet hoe ze wist dat hij prostaatkanker had en dat die was uitgezaaid naar zijn andere organen. Het kon Taxx eigenlijk niet schelen hoe ze het wist. Hij had tegen zijn vrouw en zijn familie niets gezegd over de kanker. Hij had wat geld gespaard, maar het zou alles wat zijn gezin had om van te leven hebben gekost om zijn laatste maanden te rekken tot een minder pijnlijk jaar. De ironie was dat de staat nu voor zijn behandeling zou moeten betalen.

Toen hij Dario Marco had ontmoet, had hij honderdvijftigduizend dollar in contanten geboden gekregen om Alberta Spanio een overdosis slaappillen te geven en het raam van de badkamer niet op slot te doen nadat hij de haak erin had geschroefd.

'Waarom was dat?' vroeg Ward.

'Helen Grandfield heeft me later verteld dat ze iemand vanuit de kamer erboven hadden willen laten zakken, maar dat was onmogelijk door de storm. Ik moest om drie uur in de morgen een hoestbui krijgen van drie minuten om mogelijk lawaai te overstemmen.'

Taxx had toegehapt en had het geld van tevoren ontvangen.

'Tot zover geen probleem,' zei hij tegen assistent-openbaar aanklager Ward, met wie hij vijftien jaar had samengewerkt.

'En toen?' vroeg Ward.

'In de nacht dat het moest gebeuren, werd ik gebeld,' zei Taxx. 'Op mijn mobiel. Collier was in de kamer. Ik deed alsof het mijn vrouw was. Het was Helen Grandfield. Ze vertelde me wat ik moest doen: ik moest de volgende morgen Spanio's deur intrappen, Collier naar de badkamer sturen omdat er duidelijk een raam openstond, snel naar het bed gaan en Spanio in de nek steken. Weer geen probleem. Ik was voorzichtig met mijn woorden en zei iets als: "Nee, schat, zeg maar dat het dan twee keer zoveel moet worden als we al hebben." Collier keek naar een basketbalwedstrijd op de televisie, maar ik wist dat hij het gehoord had. Ik denk dat Helen haar hand over het mondstuk legde om met Dario te overleggen, maar toen ze weer aan de lijn kwam, zei ze dat het goed was. Ik geloof niet dat ze ooit van plan zijn geweest iemand door het raam te sturen. Ik denk dat ze er van het begin af aan op gerekend hebben dat ik Alberta zou vermoorden.'

'En?'

'Spanio was bewusteloos door de pillen en de kou toen we de deur hadden ingetrapt. Ik ging tussen Collier en het bed staan, zodat hij haar niet kon zien, en knikte naar de badkamer. Collier ging de badkamer in. Ik haalde het mes uit mijn zak en stak Alberta in de nek. Vier of vijf seconden. Op zijn hoogst. Collier kwam uit de badkamer. Ik was een stap achteruit gegaan, zodat hij het mes in haar nek kon zien. Ik wachtte tot hij de andere kamer in ging om hulp in te roepen.'

'En toen liep je tegen een probleem aan?' zei Ward.

Taxx knikte.

'Ik ging de badkamer in. Het raam stond open. Mijn eerste gedachte was: "Mooi, dat heeft Collier gezien. Hij denkt dat de dader door het raam is gekomen en zo ook weer verdwenen is." Maar toen besefte ik dat er sneeuw op het kozijn lag. Niemand kon door dat raam zijn gekomen zonder de sneeuw weg te vegen.'

'En toen maakte je een fout,' zei Ward.

Taxx knikte.

'Ik veegde de sneeuw naar buiten met mijn mouw,' zei hij. 'In plaats van in het bad. Ik hoorde Collier in de voorkamer telefoneren. Ik kwam de badkamer uit voordat hij binnen kon komen en zei dat het een plaats delict was en dat we in de andere kamer op de technische recherche moesten wachten. Ik wilde niet dat hij de badkamer weer in ging en zag dat de sneeuw weg was.'

'En?' spoorde Ward hem aan.

'Gisteren ging ik naar een Chinees restaurant en ontmoette daar Helen Grandfield,' zei Taxx. 'Collier moet argwaan hebben gehad. Hij volgde me. Ik zag hem aan de overkant staan. Als hij het aan mijn vrouw vroeg, zou hij horen dat ze me de avond tevoren helemaal niet had gebeld. Hij kon naar de foto's van de plaats delict kijken en zien dat de sneeuw weg was van het badkamerraam.'

'Dus vertelde je het aan Helen Grandfield, die zei dat zij dat wel zou afhandelen,' zei Ward. 'En ze gaf je de rest van het geld.'

'Daar heb ik niets over te zeggen,' zei Taxx.

'Je wist dat ze Collier zouden vermoorden,' zei Ward.

Het duurde even voor Taxx antwoord gaf en toen zei hij: 'Daar wilde ik niet over nadenken.'

'Waar is het geld dat ze je hebben betaald?'

Weer gaf Taxx geen antwoord. Naast het geld dat hij had gespaard en wat hij van Dario Marco had gekregen, had hij ook nog een levensverzekering van een miljoen dollar.

'Ik zal het aan Stella vertellen,' zei Danny Messer.

Aiden deed de bovenste la van Louisa Cormiers bureau open.

'Het is er niet,' zei ze met een blik naar Mac.

'Iemand moet het hebben gestolen,' zei Louisa.

'Hebt u een kluis?' vroeg Mac.

Louisa wendde zich tot Pease, die zuchtte.

'Uw cliënt kan hem openen of anders doen wij het,' zei Mac. 'Ik denk dat hij zich in deze kamer bevindt, maar we kunnen ook...'

'Maak hem open, Louisa,' zei Pease. 'Werk een beetje mee.'

Louisa ging naar het felrode schilderij van een bloem van Georgia O'Keeffe en sloeg het opzij. In de muur zat de kluis.

Louisa keek naar Pease, die knikte dat ze de kluis open moest maken. Ze schudde haar hoofd, maar hij spoorde haar aan.

'We vinden wel een uitweg,' zei Pease mild. 'Het was zelfverdediging.'

Louisa maakte de kluis open en Aiden haalde de .22 Walther eruit. Ze was er zeker van dat de kogel uit dit pistool afkomstig zou blijken te zijn.

'Je hebt een fout gemaakt die mijn Pat Fantome nooit gemaakt zou hebben,' zei Louisa.

'Louisa,' waarschuwde Pease, maar zijn cliënt kon het niet laten.

'Je hebt het serienummer van mijn pistool niet gecontroleerd toen je hier de eerste keer was,' zei ze. 'Dan was je erachter gekomen dat het niet mijn pistool was, maar dat van Mathew Drietch, maar je had geen reden om het te controleren. Het was me bijna gelukt.'

Louisa stak haar rechterhand op en hield haar duim en vinger een paar centimeter van elkaar.

'De Pat Fantome van Charles Lutnikov had dat serienummer mis-schien gecontroleerd,' gaf Mac toe. 'Maar Pat Fantome bestaat niet echt. Wij wel. We maken fouten en daarna zetten we de boel weer recht.'

Mac wees Louisa Cormier op haar rechten.

De metalen gaasdeur ging open en de in oranje gevangeniskleren gestoken Anthony Marco keek naar Ward en Mac.

'Geen mooie vrouw dit keer?' zei Marco.

'Ze is niet helemaal in orde,' zei Mac.

'Ik zal haar bloemen sturen,' zei Marco met een glimlach.

'Waar gaat dit over?' vroeg Marco's advocaat.

'De rechtszaak komt eraan,' zei Marco. 'We hebben een afspraak.'

'Helemaal niet,' zei Ward. 'We hebben je medewerking niet meer nodig.'

Anthony Marco keek achterom naar zijn advocaat en toen weer naar Mac en Ward.

'Wat?' vroeg Marco.

'Ken je ene Steven Guista?'

'Nee,' zei Anthony, die rechtop ging zitten.

'Hij kent jou wel,' zei Ward. 'Hij weet een heleboel over jou en je broer en hij is toegevoegd aan de getuigenlijst. Hij gaat getuigen.'

'Tegen mij?' vroeg Anthony, die naar zichzelf wees.

Mac knikte.

'Er wordt gezegd dat hij een agent heeft vermoord en een ander de ribben heeft gebroken,' zei Anthony.

'Ik dacht dat je hem niet kende,' zei Ward.

'Ik loog.'

'Guista's getuigenis houdt nooit stand,' zei Anthony's advocaat. 'Wat hebben jullie hem aangeboden om meineed te plegen?'

'Niets,' zei Ward. 'Hij heeft nergens om gevraagd. Wij hebben hem niets geboden. Vraag het hem maar als hij in het getuigenbankje staat.'

'Ik heb niets te maken met de moord op die Spanio,' hield Anthony vol. 'Dat was Dario's idee.'

'Je broer is dood,' zei Mac.

'Nee,' protesteerde Anthony.

'Laat je advocaat maar even bellen,' zei Mac.

'Is Dario dood? Is die stomme klootzak overleden en heeft hij mij laten zitten met... Kunnen ze dit doen? Kunnen ze me dit aandoen?'

De advocaat gaf geen antwoord.

Epiloog

Het sneeuwde niet meer, maar het was nog wel bitter koud. Mac stond met zijn handen in zijn zakken en zijn voeten uit elkaar om te voorkomen dat de wind hem wegduwde van het graf van Claire. De bovenkanten van de grafstenen staken boven de sneeuw uit en Mac herinnerde zich dat er ook graven waren met eenvoudige koperen platen, die nu onder zestig centimeter sneeuw lagen.

De sneeuwploeg was voorzichtig over het pad gereden en meneer Greenberg, die had gezorgd dat het graf werd vrijgemaakt, had toezicht gehouden en gewezen waar de ploeg heen moest en hoe hij een pad door de sneeuw vanaf de ronde parkeerplaats moest maken. Mac stond met de bloemen in zijn handen en voelde de wind trekken aan het boeket rozen in verschillende kleuren, rood, roze, wit en geel, die na de sneeuwstorm moeilijk te krijgen waren geweest.

Een dun windje floot droevige muziek in de kille, vredige stilte van de morgen. Greenberg, een mager mannetje met roze wangen en een grote overjas, die op zijn minst zestig was, stond discreet een eindje naar achteren, met zijn handen voor zich gevouwen. Mac deed een paar stappen naar het graf.

Achter zich hoorde hij het geluid van een voertuig dat van de poort van de begraafplaats naar het parkeerterreintje reed waar Mac zijn auto had neergezet.

Hij draaide zich niet om. Hij stond nu vlak naast de steen en las de woorden die erin waren uitgebeiteld. Toen hoorde hij voetstappen op het pad en nu draaide hij zich wel om. Don Flack, Aiden, Stella en Danny kwamen op hem toe lopen. Stella leunde een beetje op Danny's arm.

'Jij hoort in het ziekenhuis te liggen,' zei Mac toen ze dichterbij waren gekomen.

'Het is jullie trouwdag,' antwoordde Stella. 'Die wil ik niet missen.'

Ze gingen rond het graf staan en Mac knielde om de bloemen tegen de steen te leggen, een beetje uit de wind.

Greenberg kwam snel naar voren en legde de bloemen vast met een gladde, ronde steen. Toen kwam hij overeind en overhandigde alle aanwezigen een kleine steen.

'Als u het niet erg vindt,' zei Greenberg. 'Het is een traditie. We leggen elk jaar een gedenksteen bij het graf van een geliefde.'

Mac keek naar de kleine, bruine steen in zijn hand en legde die op de granieten grafsteen. Stella, Aiden, Danny en Flack volgden zijn voorbeeld. Daarna gingen ze allemaal achteruit, behalve Mac.

Er was niets te zeggen. Hij hoefde niets te zeggen. Hij bleef voor zijn gevoel heel lang staan voordat hij zich omdraaide en met de anderen het pad weer af liep.